A-Z PETERBOROUGH

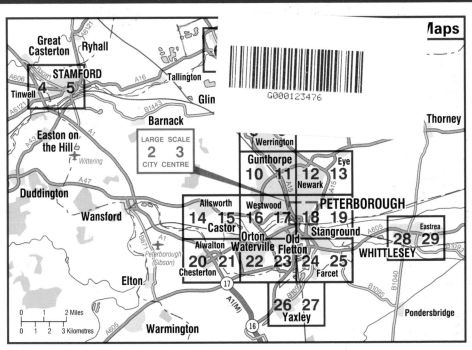

Reference

Motorway	**A1(M)**
A Road	**A15**
B Road	**B1091**
Dual Carriageway	
One Way Street	
Traffic flow on A roads is indicated by a heavy line on the driver's left.	➡
Road Junction Number	(36)
Pedestrianized Road	
Restricted Access	
Track & Footpath	
Residential Walkway	
Built Up Area	MILL LA.

Railway	Level Crossing / Station
Heritage Railway	Station
Local Authority Boundary	
Postcode Boundary	
Map Continuation	**8** Large Scale City **2** Centre
Car Park Selected	P
Church or Chapel	†
Cycle Route Selected	
Fire Station	■
Hospital	H
Information Centre	i
National Grid Reference	515

Police Station	▲
Post Office	★
Toilet	▽
with facilities for the Disabled	♿
Educational Establishment	
Hospital or Health Centre	
Industrial Building	
Leisure or Recreational Facility	
Place of Interest	
Public Building	
Shopping Centre or Market	
Other Selected Buildings	

Scale

4 inches (10.16 cm) to 1 mile
1:15,840   6.31 cm to 1 km

0   ¼   ½ Mile
0   250   500   750 Metres   1 Kilometre

Geographers' A-Z Map Company Ltd.

Head Office : Fairfield Road, Borough Green, Sevenoaks, Kent TN15 8PP Tel: 01732 781000
Showrooms : 44 Gray's Inn Road, London WC1X 8HX Tel: 0171 440 9500

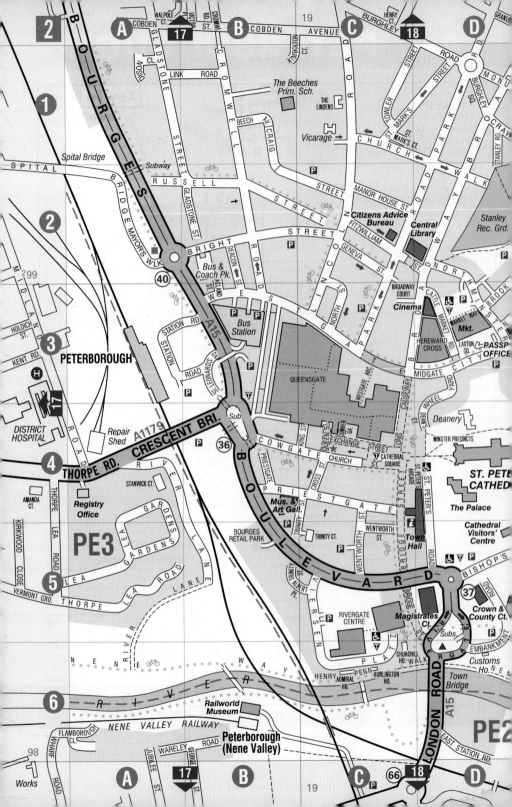

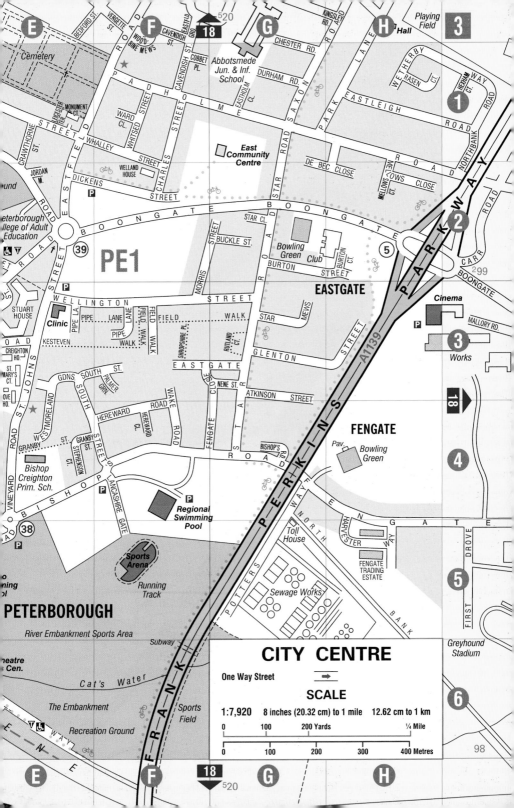

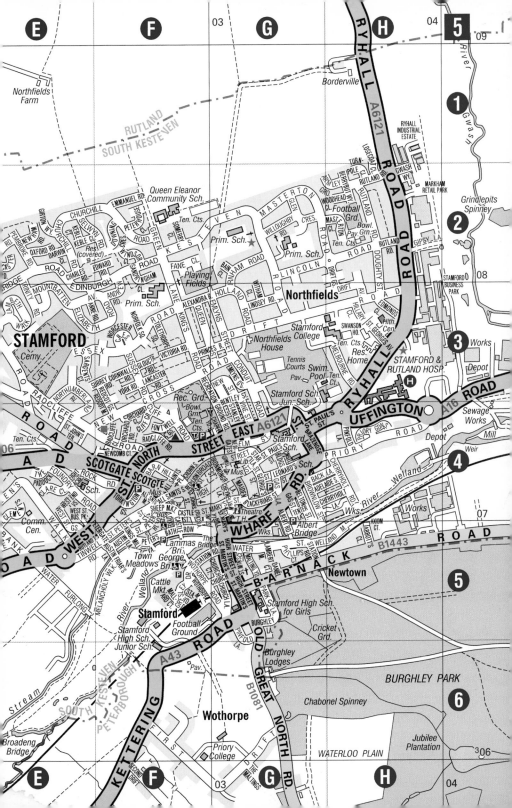

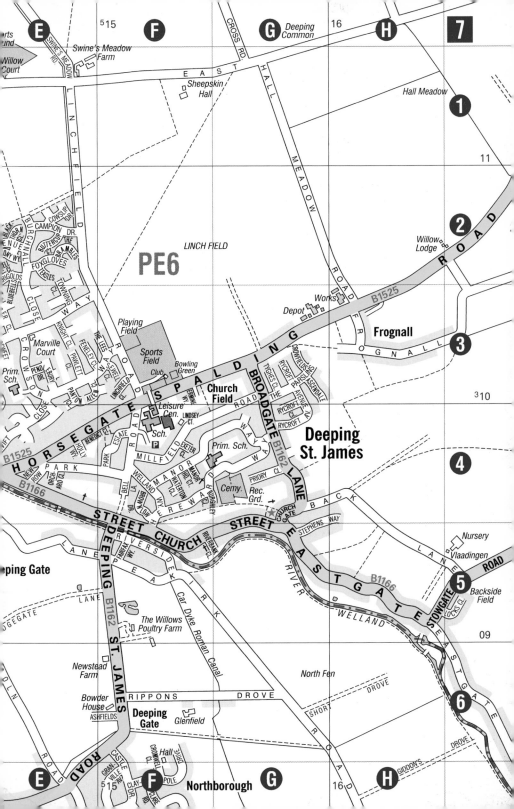

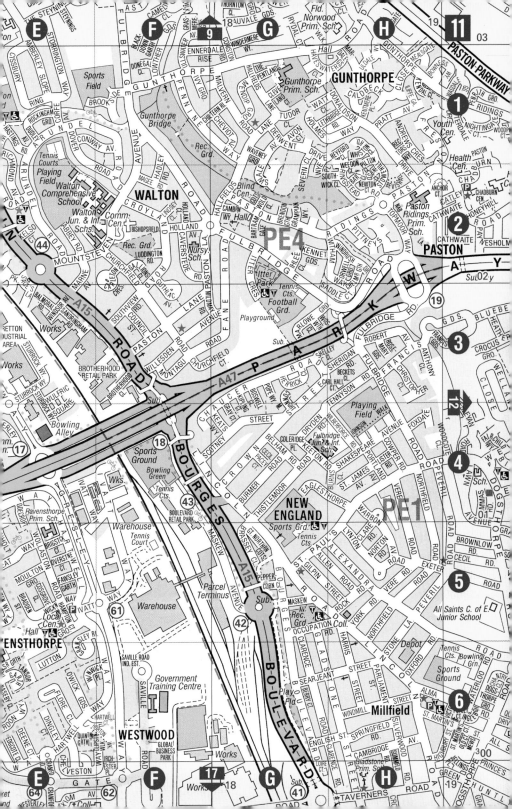

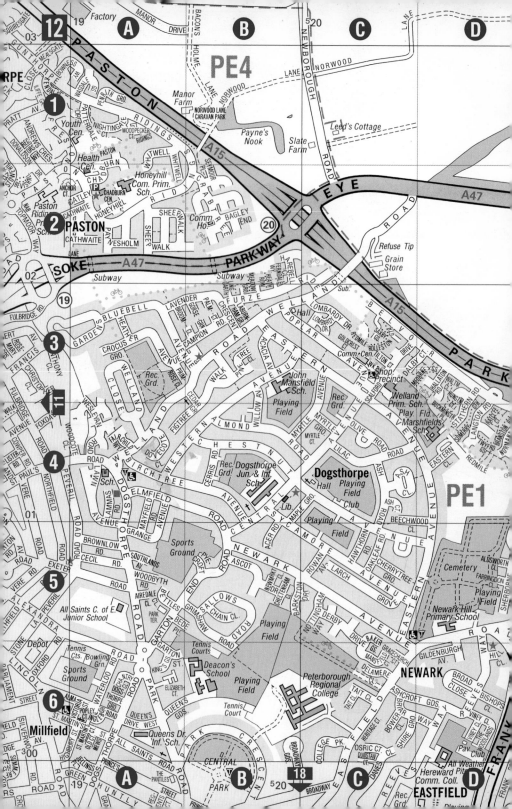

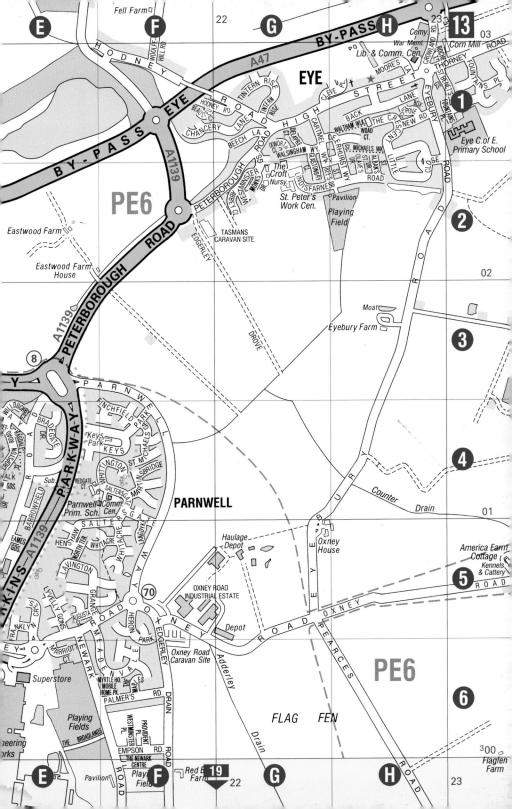

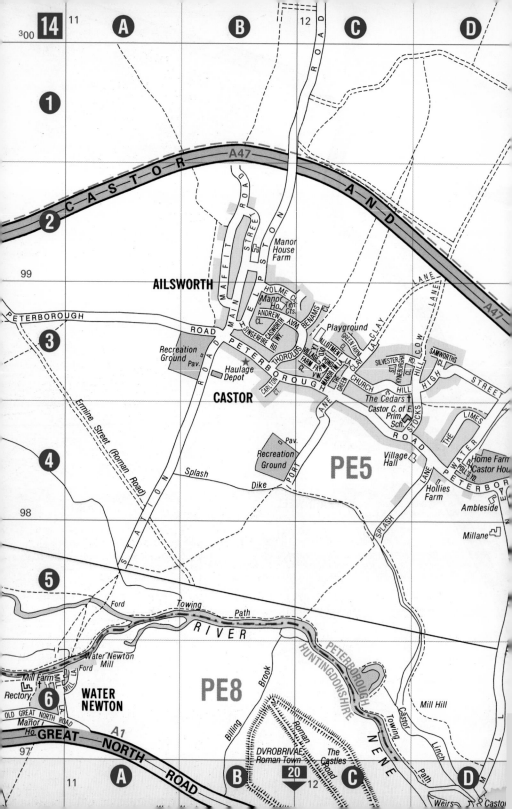

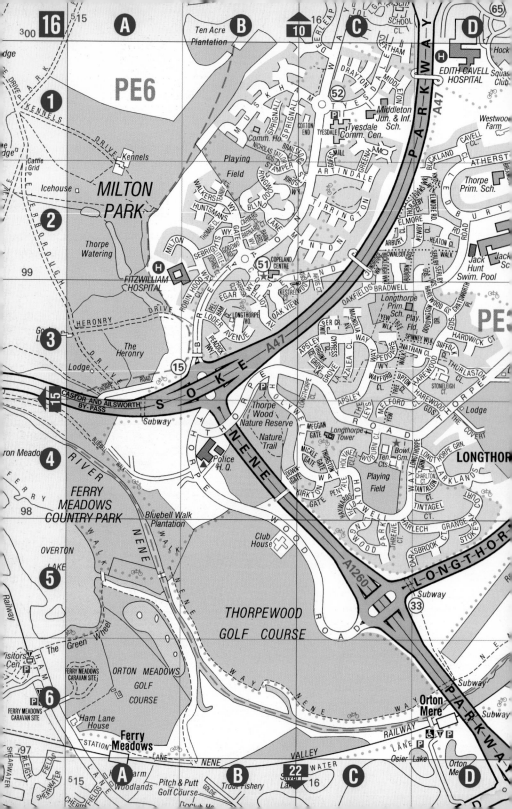

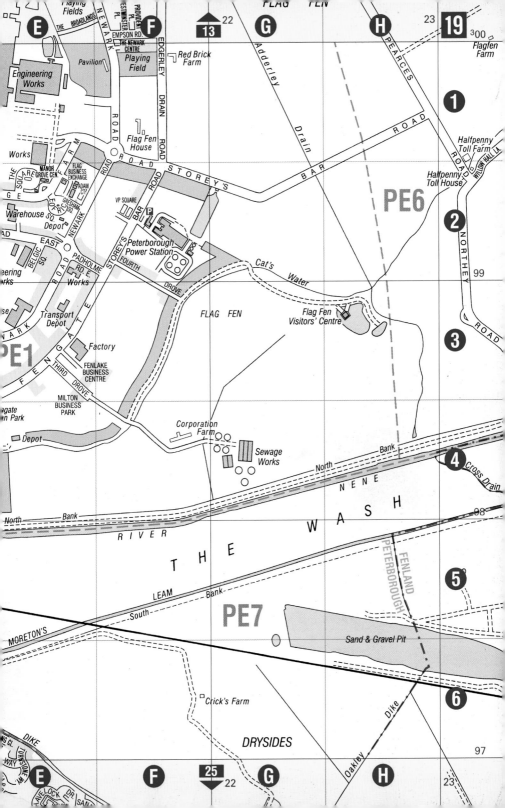

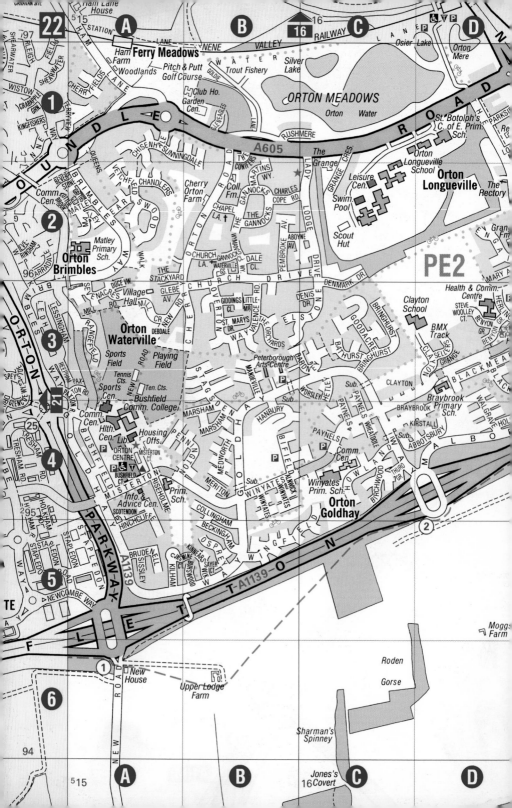

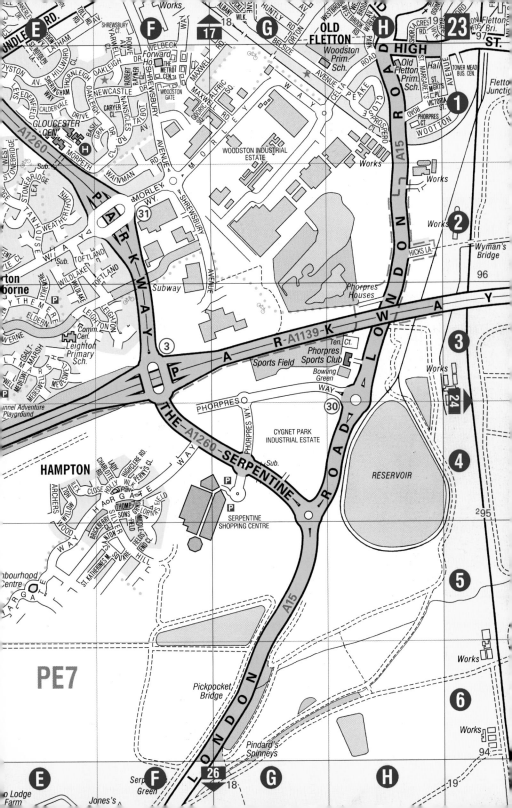

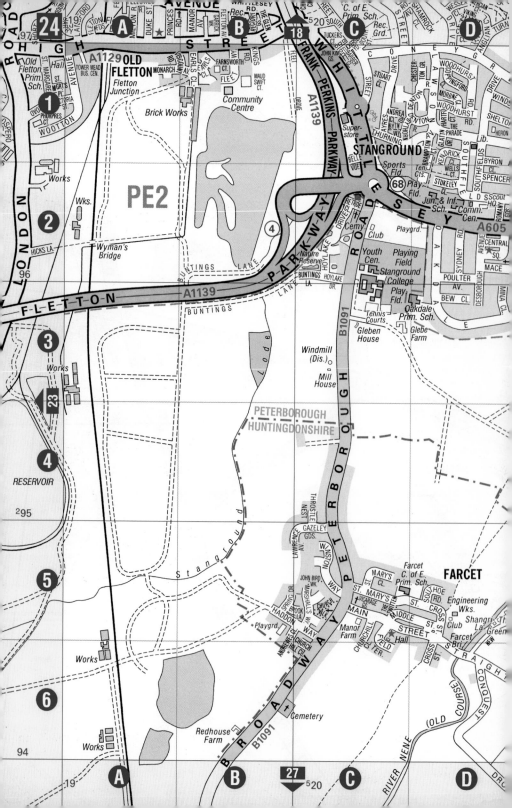

DRYSIDES

1

Horsey Toll
Farm

PARK FARM

Plant Hire
Depot

KING'S DIKE (DRAIN)

KING'S DELPH

2

King's Delph
Reservoir
& Pump. Sta.

96

ROAD TOLL A605 ROAD KING'S

R O A D

Horsey
Bridge

The Lavericks

Horsey
Hill
Civil War
Fort

Horsey Grange
Farm

Ten.
Ct.

FENLAND
PETERBOROUGH

3

Havelock
Farm

Dike

M I L K

B1095

A N D

Paradise Farm

Cnuts Way
Wishoon

Oakley

4

NENE (OLD COURSE)

MILBY

295

Milby
Farm

Lime Trees
Bungalow

King's Delph
Gate Farm

W A T E R

KING'S

PE7

D R O V E

Tansor
Bungalow

New Meadow

New Barn

KING'S DELPH

5

DELPH

Bull's Barn
Farm

WO

DELPH

HIGHWAY

Palmer's
Barn

Slacker Ground
Farm

P O L E

D R O V E

F A R C E T   F E N

D R O V E

B1095

D R O V E

6

Homeland

The Bungalow

GOSLING

The Four
Winds

Wake's Farm
Cottage

*EIGHT ROODS
LAND* 94

D R O V E

Conquest
Villa

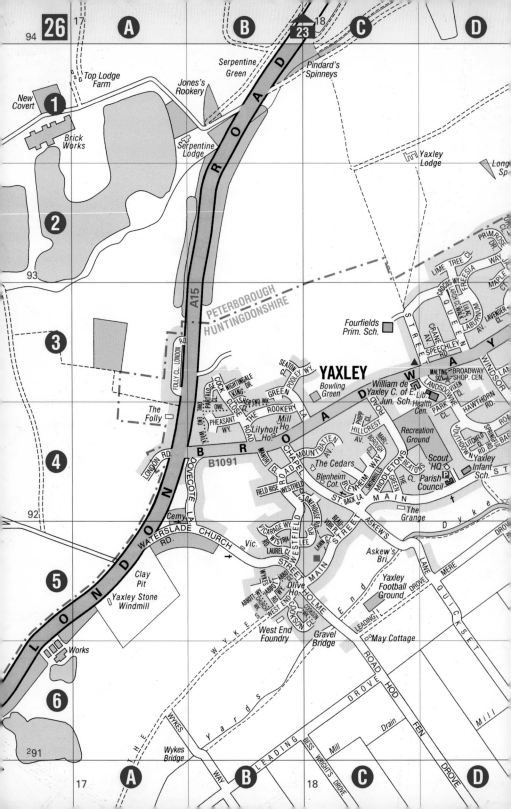

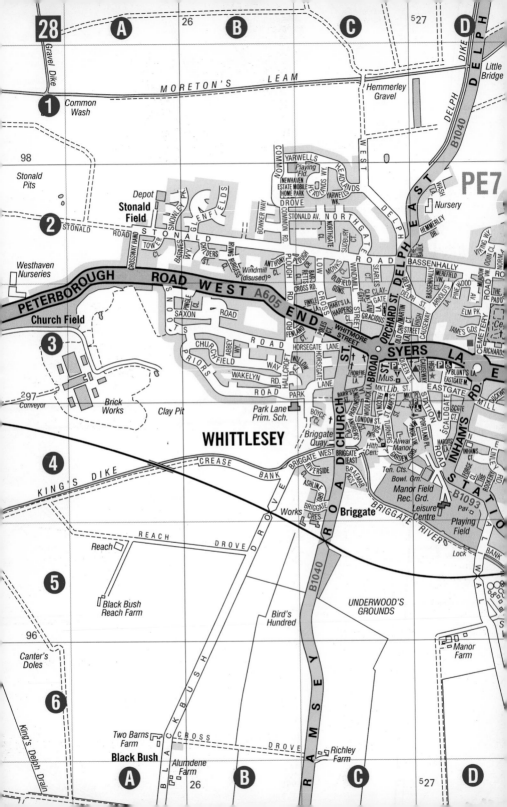

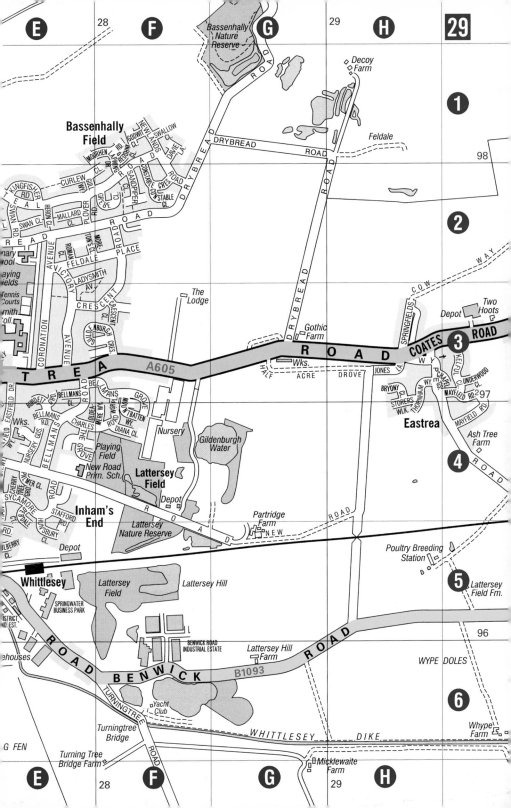

INDEX TO STREETS

Including Industrial Estates and a selection of Subsidiary Addresses.

HOW TO USE THIS INDEX

1. Each street name is followed by its Posttown or Postal Locality and then by its map reference;
e.g. Abbotsbury. *Ort M* —4D **22** is in the Orton Malborne Postal Locality and is to be found in square 4D on page **22**.
The page number being shown in bold type.
A strict alphabetical order is followed in which Av., Rd., St., etc. (though abbreviated) are read in full and as part of the
street name; e.g. Ashridge Wlk. appears after Ash Pl. but before Ash Rd.

2. Streets and a selection of Subsidiary names not shown on the Maps, appear in the index in *Italics* with the thoroughfare to
which it is connected shown in brackets; e.g. *Burghley Ct. Stam* —4G **5** *(off Recreation Ground Rd.)*

3. The page references shown in brackets indicate those streets that appear on the large scale map pages **2** and **3**;
e.g. Admiral Ho. *Pet* —4A **18** (6C **2**) appears in square 4A on page **18** and also appears in the large scale section in
square 6C on page **2**.

GENERAL ABBREVIATIONS

All : Alley	Cotts : Cottages	La : Lane	Ri : Rise
App : Approach	Ct : Court	Lit : Little	Rd : Road
Arc : Arcade	Cres : Crescent	Lwr : Lower	Shop : Shopping
Av : Avenue	Cft : Croft	Mc : Mac	S : South
Bk : Back	Dri : Drive	Mnr : Manor	Sq : Square
Boulevd : Boulevard	E : East	Mans : Mansions	Sta : Station
Bri : Bridge	Embkmt : Embankment	Mkt : Market	St : Street
B'way : Broadway	Est : Estate	Mdw : Meadow	Ter : Terrace
Bldgs : Buildings	Fld : Field	M : Mews	Trad : Trading
Bus : Business	Gdns : Gardens	Mt : Mount	Up : Upper
Cvn : Caravan	Gth : Garth	N : North	Va : Vale
Cen : Centre	Ga : Gate	Pal : Palace	Vw : View
Chu : Church	Gt : Great	Pde : Parade	Vs : Villas
Chyd : Churchyard	Grn : Green	Pk : Park	Wlk : Walk
Circ : Circle	Gro : Grove	Pas : Passage	W : West
Cir : Circus	Ho : House	Pl : Place	Yd : Yard
Clo : Close	Ind : Industrial	Quad : Quadrant	
Comn : Common	Junct : Junction	Res : Residential	

POSTTOWN AND POSTAL LOCALITY ABBREVIATIONS

Ail : Ailsworth	*Glin* : Glinton	*Old F* : Old Fletton	*Stam* : Stamford
Alw : Alwalton	*Gt Cas* : Great Casterton	*Ort B* : Orton Brimbles	*Stan* : Stanground
Bret : Bretton	*Hamp H* : Hampton Hargate	*Ort G* : Orton Goldhay	*Thor* : Thorney
Cas : Castor	*Long* : Longthorpe	*Ort L* : Orton Longueville	*Thor M* : Thorpe Meadows
Ches : Chesterton	*Lyn W* : Lynch Wood	*Ort M* : Orton Malborne	*Tin* : Tinwell
Deep G : Deeping Gate	*Mar* : Marholm	*Ort S* : Orton Southgate	*Water* : Waternewton
Deep J : Deeping St James	*Mkt D* : Market Deeping	*Ort Wa* : Orton Waterville	*Wer* : Werrington
Duke : Dukesmead	*Max* : Maxey	*Ort Wi* : Orton Wistow	*Whit* : Whittlesey
East : Eastrea	*Milk N* : Milking Nook	*Parn* : Parnwell	*Wood* : Woodston
Eye : Eye	*Milt* : Milton	*Pea* : Peakirk	*Wot* : Wothorpe
Far : Farcet	*Newb* : Newborough	*Pet* : Peterborough	*Yax* : Yaxley
Fen : Fengate	*N'boro* : Northborough	*R'well* : Rightwell	

INDEX TO STREETS

Abbey Clo. *Eye* —2G **13**	Ainsdale Dri. *Pet* —5D **8**	Allotment La. *Cas* —3C **14**	Andrews Cres. *Pet* —1H **11**
Abbey Rd. *Pet* —2E **11**	Airedale Clo. *Pet* —5A **12**	All Saints M. *Stam* —4F **5**	Anglian Clo. *Pet* —6D **18**
Abbey Way. *Whit* —3B **28**	Airedale Rd. *Stam* —2E **5**	All Saints Pl. *Stam* —4F **5**	Angus Clo. *Stam* —3B **4**
Abbot Clo. *Yax* —5B **26**	Albany Wlk. *Pet* —6G **17**	All Saints Rd. *Pet* —6A **12**	Angus Ct. *Pet* —2F **17**
Abbotsbury. *Ort M* —4D **22**	Albert Pl. *Pet* —4H **17** (5B **2**)	All Saints St. *Stam* —4F **5**	Anne Rd. *Stam* —3E **5**
Abbotts Clo. *Stam* —5H **5**	Albert Rd. *Stam* —4G **5**	Alma Rd. *Pet* —6H **11**	Anson Ct. *Mkt D* —1C **6**
Abbotts Gro. *Pet* —3D **8**	Alconbury Clo. *Pet* —2E **25**	Almond Rd. *Pet* —4B **12**	Anthony Clo. *Pet* —3B **28**
Abbott Way. *Yax* —5B **26**	Aldermans Dri. *Pet* —2G **17**	Almoners La. *Pet* —2G **17**	Anthony Clo. *Pet* —3H **11**
Aberdeen Clo. *Stam* —3B **4**	Aldsworth Clo. *Pet* —5D **12**	Alnwick. *Ort G* —4B **22**	Apple Tree Clo. *Yax* —3B **22**
Aboyne Av. *Ort Wa* —2B **22**	Alexandra Rd. *Pet* —5H **11**	Althorpe Clo. *Mkt D* —4B **6**	Appleyard. *Pet* —6C **18**
Acacia Av. *Pet* —3B **12**	Alexandra Rd. *Stam* —3F **5**	Amanda Ct. *Pet* —3G **17**	Apsley Way. *Pet* —3B **28**
Accent Pk. *Ort S* —5G **21**	Alfreds Way. *Wer* —5C **8**	Amberley Slope. *Pet* —6E **9**	Apsley Way. *Pet* —3C **16**
Acer Rd. *Pet* —5B **12**	Alfric Sq. *Pet* —1G **23**	Ambleside Gdns. *Pet* —6G **9**	Arbury Clo. *Pet* —2C **16**
Acland St. *Pet* —2H **17**	Aliwal Rd. *Whit* —5D **28**	Ancaster Rd. *Stam* —2E **5**	Archers Wood. *Hamp H*
Adam Ct. *Pet* —2E **19**	Allan Av. *Pet* —2E **25**	Anchor Ct. *Pet* —2H **11**	—4E **23**
Adderley. *Bret* —4E **11**	Allen Clo. *Deep J* —3E **7**	Andrea Clo. *Pet* —1C **24**	Argyll Way. *Stam* —4D **4**
Addington Way. *Pet* —6E **9**	Allen Rd. *Pet* —5G **11**	Andrew Clo. *Ail* —3B **14**	Armley Gro. *Stam* —2H **5**
Adelaide St. *Stam* —4G **5**	Allerton Gth. *Alw* —3E **21**	Andrewes Clo. *Far* —6B **24**	Arnold's La. *Whit* —3D **28**
Admiral Ho. *Pet* —4A **18** (6C **2**)	Allexton Gdns. *Pet* —4D **12**	Andrew Rd. *Stam* —3F **5**	Arran Rd. *Stam* —3B **4**

Artindale. *Bret* —2C **16**
Artis Ct. *Bret* —3C **16**
Arundel Rd. *Pet* —1E **11**
Ascendale. *Deep J* —3G **7**
Ascot Dri. *Pet* —5B **12**
Ashburn Clo. *Glin* —2B **8**
Ash Clo. *Pet* —4C **12**
Ash Ct. *Pet* —4C **12**
Ashcroft Gdns. *Pet* —6C **12**
Ashfields. *Deep G* —6E **7**
Ashfields. *Pet* —3G **17**
Ashleigh. *Ort Wi* —1G **21**
Ashline Gro. *Whit* —4C **28**
Ash Pk. *Wer* —3D **8**
Ash Pl. *Stam* —3B **4**
Ashridge Wlk. *Yax* —3E **27**
Ash Rd. *Pet* —4C **12**
Ashton Rd. *Pet* —6D **10**
Askew's La. *Yax* —5C **26**
Aster Dri. *Pet* —6F **9**
Atherstone Av. *Pet* —2D **16**
Atkinson St. *Pet*
　　　　　　—3C **18** (3G **3**)
Auburn Gdns. *Pet* —2C **16**
Aubretia Av. *Pet* —6F **9**
Audley Ga. *Pet* —2D **16**
Augusta Clo. *Pet* —5E **13**
Austin Friar's La. *Stam* —5F **5**
Austin St. *Stam* —5F **5**
Avenue, The. *Mkt D* —3C **6**
Avon Ct. *Pet* —1G **11**
Axiom Av. *Pet* —1E **17**
Axiom Ct. *Stam* —5H **5**
Aydon Rd. *Pet* —1F **25**
Ayr Clo. *Stam* —3C **4**
Ayres Dri. *Pet* —1C **24**
Azalea Clo. *Pet* —3C **16**
Azalea Ct. *Yax* —3D **26**

Back La. *Deep J* —4G **7**
Back La. *Eye* —1H **13**
Back La. *Stam* —4G **5**
Back La. *Yax* —4C **26**
Bacon's Holme La. *Pet* —1B **12**
Bader Clo. *Pet* —5E **11**
Badger Clo. *Yax* —4D **26**
Bagley End. *Pet* —2B **12**
Bain Clo. *Stam* —2G **5**
Bainton Rd. *Milk N* —1H **9**
Baker Pl. *Stam* —3B **4**
Bakers La. *Pet* —6G **17**
Bakewell Rd. *Ort S* —5G **21**
Bala Ct. *Pet* —6F **9**
Balintore Ri. *Ort S* —3H **21**
Balmoral Rd. *Pet* —3E **11**
Bamber St. *Pet* —1H **17**
Bank Clo. *Whit* —5D **28**
Barber Clo. *Stan* —1C **24**
Barbers Hill. *Pet* —2D **8**
Bardney. *Ort G* —3C **22**
Barford Clo. *Pet* —6E **17**
Barham Clo. *Pet* —2F **25**
Barkston Dri. *Pet* —1E **29**
Barnack Rd. *Stam* —5G **5**
Barnard Ct. *Bret* —2B **16**
Barnard Way. *Bret* —2B **16**
Barn Clo. *Pet* —6D **8**
Barnes Way. *Wer* —1D **10**
Barnes Way. *Whit* —2A **28**
Barn Hill. *Stam* —4F **5**
Barnoak Rd. *Pet* —2H **9**
Barnstock. *Bret* —4C **10**

Barnwell Rd. *Stam* —3C **4**
Baron Ct. *Pet* —5F **9**
Barretts Clo. *Whit* —2C **28**
Barrowfield. *Pet* —4E **13**
Barr's St. *Whit* —3C **28**
Barry Wlk. *Pet* —6A **18**
Barton Clo. *Pet* —2H **11**
Bartram Ga. *Pet* —2G **11**
Basil Grn. *Ort L* —1F **23**
Bassenhally Ct. *Whit* —3D **28**
Bassenhally Rd. *Whit* —2D **28**
Bath Row. *Stam* —5F **5**
Bathurst. *Ort G* —3C **22**
Baulk, The. *Whit* —2D **28**
Beatons Clo. *Yax* —4C **26**
Beaufort Av. *Mkt D* —3D **6**
Beaulieu Ct. *Eye* —1F **13**
Beauvale Gdns. *Pet* —6G **9**
Beauvoir Pl. *Yax* —5C **26**
Beckets Clo. *Pet* —3H **11**
Beckingham. *Ort G* —5B **22**
Bede Pl. *Pet* —5A **12**
Bedford St. *Pet* —1B **18** (1E **3**)
Beech Av. *Pet* —2H **17** (1B **2**)
Beech Clo. *Mkt D* —2C **6**
Beech Gro. *Stam* —3B **4**
Beech La. *Eye* —1G **13**
Beech Rd. *Glin* —1A **8**
Beechwood Clo. *Pet* —4C **12**
Beeston Dri. *Pet* —2F **25**
Belgic Sq. *Pet* —2E **19**
Belgravia Ho. *Pet* —3G **17**
Belham Rd. *Pet* —4G **11**
Belle Vue. *Pet* —1C **24**
Bell La. *Deep J* —4F **7**
Bellmans Clo. *Whit* —3E **29**
Bellmans Gro. *Whit* —3E **29**
Bellmans Rd. *Whit* —4E **29**
Belsay Dri. *Pet* —2F **25**
Belsize Av. *Pet* —6G **17**
Belton Clo. *Mkt D* —3B **6**
Belton Rd. *Pet* —2F **25**
Belton St. *Stam* —4G **5**
Belvoir Clo. *Mkt D* —3B **6**
Belvoir Clo. *Stam* —3C **4**
Belvoir Way. *Pet* —1C **24**
Benams Clo. *Cas* —3C **14**
Benedict Ct. *Deep J* —4E **7**
Benedict Sq. *Pet* —1C **10**
Benland. *Bret* —5C **10**
Bentley St. *Stam* —3G **5**
Benwick Rd. *Whit* —6F **29**
Benwick Rd. Ind. Est. *Whit*
　　　　　　　—6F **29**
Benyon Gro. *Ort M* —3D **22**
Berkeley Rd. *Pet* —2E **17**
Berrybut Way. *Stam* —2H **5**
Berry Ct. *Pet* —6G **11**
Bess Wright's Drove. *Yax*
　　　　　　　—6C **26**
Bettles Clo. *Pet* —5A **12**
Beverley Gdns. *Stam* —3E **5**
Beverstone. *Ort B* —2H **21**
Bevishall. *Pet* —2H **11**
Bew Clo. *Pet* —3D **24**
Bickleigh Wlk. *Pet* —2C **16**
Bifield. *Ort G* —4B **22**
Bifield. *Ort G* —3D **28**
Birch Clo. *Yax* —4E **27**
Birch Rd. *Stam* —2B **4**
Birchtree Av. *Pet* —4A **12**
Birchwood. *Ort G* —4C **22**
Birkdale Av. *Pet* —6D **8**

Bishops Clo. *Pet* —6D **12**
Bishopsfield. *Pet* —2F **11**
Bishop's Rd. *Pet*
　　　　　　—4A **18** (5D **2**)
Blackbush Drove. *Whit* —6A **28**
Blackdown Gth. *Pet* —1F **11**
Blackfriars St. *Stam* —4G **5**
Blackmead. *Ort M* —3D **22**
Black Prince Av. *Mkt D* —2C **6**
Blackthorn. *Stam* —2A **4**
Blackthorn Clo. *Deep J* —2E **7**
Blandford Gdns. *Pet* —4E **13**
Blenheim Way. *Mkt D* —1C **6**
Blenheim Way. *Yax* —4C **26**
Blind La. *Pet* —2B **16**
Blossom Ct. *Bret* —3D **10**
Bluebell Av. *Pet* —3A **12**
Bluebell Rd. *Stam* —2B **4**
Bluebells. *Deep J* —3E **7**
Bluebell Wlk. *Pet* —4A **16**
Blunt's La. *Whit* —3D **28**
Bodesway. *Ort M* —3D **22**
Boongate. *Pet* —2B **18** (2E **3**)
Borrowdale Clo. *Pet* —6G **9**
Borthwick Pk. *Ort Wi* —1H **21**
Boswell Clo. *Pet* —3G **11**
Botolph Grn. *Pet* —6E **17**
Boulevard Retail Pk. *Pet*
　　　　　　　—4F **11**
Bourges Boulevd. *Pet*
　　　　　　—4F **11** (1A **2**)
Bourges Retail Pk. *Pet*
　　　　　　—4H **17** (5B **2**)
Bower Clo. *Pet* —6C **12**
Bowker Way. *Whit* —2B **28**
Bowness Way. *Pet* —1H **11**
Boxgrove Clo. *Eye* —1H **13**
Boyce Clo. *Whit* —4C **28**
Bozeat Way. *Pet* —5E **11**
Brackenwood. *Ort Wi* —1H **21**
Brackley Clo. *Pet* —2F **17**
Bradden St. *Pet* —5E **11**
Bradegate Dri. *Pet* —4E **13**
Bradwell Rd. *Pet* —3C **16**
Braemar. *Stam* —3C **4**
Braemar Gdns. *Whit* —4C **28**
Brailsford Clo. *Bret* —1B **16**
Bramall Ct. *Pet* —2D **16**
Bramble Clo. *Whit* —4D **28**
Bramble Clo. *Yax* —3E **27**
Bramble Gro. *Stam* —3B **4**
Brambles, The. *Deep J* —2E **7**
Bramley Rd. *Mkt D* —3C **6**
Brampton Ct. *Pet* —1D **24**
Brancepeth Pl. *Pet* —6G **17**
Branston Rise. *Pet* —4D **12**
Brassey Clo. *Pet* —5G **11**
Braybrook. *Ort G* —4C **22**
Brazenose La. *Stam* —4G **5**
Bread St. *Pet* —5H **17**
Breamore Gdns. *Pet* —2D **16**
Brendon Gth. *Pet* —2G **11**
Bretton Cen. *Bret* —5C **10**
Bretton Ga. *Bret* —6C **10**
Bretton Grn. Office Village.
　　　　　　　R'well —6C **10**
Bretton Ind. Area. *Bret* —3E **11**
Bretton Way. *Bret* —3B **16**
Brewerne. *Ort M* —3E **23**
Brewster Av. *Pet* —5H **17**
Briar Way. *Pet* —6C **12**
Brickberry Clo. *Hamp H*
　　　　　　　—5E **23**

Bridge Foot. *Mkt D* —4C **6**
Bridgegate La. *Deep G* —5E **7**
Bridgehill Rd. *Newb* —3G **9**
Bridge St. *Mkt D* —4D **6**
Bridge St. *Pet* —3A **18** (5C **2**)
Briggate Cres. *Whit* —4C **28**
Briggate E. *Whit* —4C **28**
Briggate W. *Whit* —4B **28**
Bright St. *Pet* —2H **17** (2B **2**)
Brigstock Ct. *Pet* —5E **11**
Brimbles Way. *Ort B* —2A **22**
Bringhurst. *Ort G* —3C **22**
Bristol Av. *Pet* —6D **18**
Briton Ct. *Pet* —6D **18**
Broad Clo. *Pet* —6D **12**
Broad Drove. *Yax* —4F **27**
Broadgate La. *Deep J* —3G **7**
Broadlands, The. *Pet* —6E **13**
Broad St. *Stam* —4F **5**
Broad St. *Whit* —3C **28**
Broadway. *Pet* —3A **18** (3C **2**)
Broadway. *Yax* —4B **26**
Broadway Ct. *Pet*
　　　　　　—3A **18** (3C **2**)
Broadway Gdns. *Pet* —1B **18**
Broadway Shop. Cen. *Yax*
　　　　　　　—3D **26**
Brocklesby Gdns. *Pet* —2E **17**
Brodsworth Rd. *Pet* —2F **25**
Brooke Av. *Stam* —5C **4**
Brookfield Home Pk. *Duke*
　　　　　　　—1C **10**
Brookfield Ind. Pk. *Pet* —1D **10**
Brookfurlong. *Pet* —5D **10**
Brook La. *Far* —5C **24**
Brookside. *Pet* —1F **11**
Brook St. *Pet* —3A **18** (3D **2**)
Broom Clo. *Pet* —3A **12**
Brotherhood Clo. *Pet* —3F **11**
Brotherhood Retail Pk. *Pet*
　　　　　　　—3E **11**
Brownlow Dri. *Deep J* —4F **7**
Brownlow Rd. *Pet* —5A **12**
Brownlow St. *Stam* —4G **5**
Brudenell. *Ort G* —5A **22**
Brynmore. *Bret* —3C **10**
Bryony Clo. *Whit* —3H **29**
Bryony Way. *Deep J* —2E **7**
Buckland Clo. *Pet* —2D **16**
Buckles Gdns. *Whit* —3E **29**
Buckle St. *Pet* —2C **18** (2G **3**)
Buckminster Pl. *Pet* —4D **12**
Buntings La. *Pet & Far* —2B **24**
(in three parts)
Burchnall Clo. *Deep J* —2E **7**
Burdett Gro. *Whit* —3E **29**
Burford Way. *Pet* —5D **12**
Burghley Clo. *Deep J* —4F **7**
Burghley Ct. *Stam* —4G **5**
(off Recreation Ground Rd.)
Burghley La. *Stam* —5G **5**
Burghley Rd. *Pet*
　　　　　　—1A **18** (1C **2**)
Burghley Rd. *Stam* —2E **5**
Burghley Sq. *Pet*
　　　　　　—2A **18** (1D **2**)
Burlington Ho. *Pet*
　　　　　　—4A **18** (6C **2**)
Burmer Rd. *Pet* —4G **11**
Burns Clo. *Pet* —4H **11**
Burnside Av. *Mkt D* —3B **6**
Burns Rd. *Stam* —3D **4**
Burswood. *Ort G* —5B **22**

Burton Ct.—Danish Ct.

Burton Ct. *Pet* —2C **18** (2H **3**)
Burton St. *Pet* —2C **18** (2G **3**)
Burwell Reach. *Pet* —6E **17**
Burystead. *Stan* —6C **18**
Bushfield. *Ort G* —4A **22**
Bushfield Ct. *Ort G* —4A **22**
Buttercup Clo. *Stam* —2B **4**
Buttercup Ct. *Deep J* —2E **7**
Buttermere Pl. *Pet* —6G **9**
Byron Clo. *Pet* —1D **24**
Byron Way. *Stam* —4C **4**
Bythorn Rd. *Pet* —1C **24**
Bythorn Way. *Pet* —1C **24**

Caithness Rd. *Stam* —3C **4**
Caldbeck Clo. *Pet* —1H **11**
Caldecote Clo. *Pet* —1E **25**
Caldervale. *Ort L* —1E **23**
Caledonian Rd. *Stam* —3C **4**
Cambrian Way. *Pet* —2G **11**
Cambridge Av. *Pet* —6H **11**
Cambridge Rd. *Stam* —3E **5**
Camelia Clo. *Pet* —6F **9**
Campbell Dri. *Pet* —5G **9**
Campion Dri. *Deep J* —2E **7**
Campion Gro. *Stam* —2B **4**
Campion Rd. *Pet* —3B **12**
Candidus Ct. *Pet* —4D **8**
Canonsfield. *Pet* —5C **8**
Canterbury Rd. *Pet* —6D **8**
Canwell. *Pet* —5E **9**
Cardinals Ga. *Pet* —5C **8**
Carisbrook Ct. *Pet* —5D **16**
Carleton Cres. *Pet* —3F **11**
Carl Hall Ct. *Pet* —3H **11**
Carlton Ct. *Cas* —3B **14**
Carradale. *Ort B* —2H **21**
Carron Dri. *Pet* —6C **8**
Carr Rd. *Pet* —3D **18** (2H **3**)
Carters Clo. *Bret* —2B **16**
Cartmel Way. *Eye* —1G **13**
Caryer Clo. *Ort L* —1F **23**
Casterton La. *Tin* —5A **4**
Casterton Rd. *Stam* —3C **4**
Castle Dri. *N'boro* —6F **7**
Castle Dyke. *Stam* —4F **5**
Castle End Rd. *Max* —6A **6**
Castle St. *Stam* —4F **5**
Castor and Ailsworth By-Pass.
    Ail —2A **14**
Castor Rd. *Mar* —1F **15**
  (in two parts)
Casworth Way. *Ail* —3B **14**
Cathedral Sq. *Pet*
    —3A **18** (4C **2**)
Catherine Clo. *Pet* —6E **17**
Cathwaite. *Pet* —2H **11**
Catley. *Pet* —2A **12**
Cattle Mkt. Rd. *Pet*
    —3A **18** (3D **2**)
Causeway M. Whit —3D **28**
  (off High Causeway)
Cavell Clo. *Pet* —1D **16**
Cavendish St. *Pet*
    —1B **18** (1F **3**)
Caverstede Rd. *Pet* —2F **11**
Cecil Pacey Ct. *Pet* —4G **11**
Cecil Rd. *Pet* —5A **12**
Cedar Clo. *Mkt D* —3B **6**
Cedar Gro. *Pet* —3B **12**
Cedar Rd. *Stam* —3B **4**
Celta Rd. *Pet* —1H **23**

Celtic Clo. *Pet* —6D **18**
Cemetery Rd. *Whit* —3D **28**
Central Av. *Pet* —5B **12**
Central Sq. *Pet* —2D **24**
Cerris Rd. *Pet* —4B **12**
Chadburn. *Pet* —2A **12**
Chadburn Cen. *Pet* —2A **12**
Chain Clo. *Pet* —5B **12**
Chancery La. *Eye* —1F **13**
Chandlers. *Ort B* —2A **22**
Chantry Clo. *Pet* —6A **12**
Chapel Gdns. *Whit* —3H **29**
Chapel La. *Ort Wa* —2B **22**
Chapel La. *Wer* —6E **9**
Chapel St. *Pet* —3B **18** (3E **3**)
Chapel St. *Stan* —6C **18**
Chapel St. *Yax* —4B **26**
Chapel Yd. *Stam* —4G **5**
Charles Cope Rd. *Ort Wa*
    —2B **22**
Charles Rd. *Stam* —2E **5**
Charles Rd. *Whit* —4E **29**
Charles St. *Pet* —2B **18** (2F **3**)
Charlock Dri. *Stam* —3B **4**
Charlton Ct. *Long* —4D **16**
Charnwood Clo. *Pet* —6A **18**
Chatsfield. *Pet* —3C **8**
Chatsworth Clo. *Mkt D* —3B **6**
Chatsworth Pl. *Pet* —3D **16**
Chatsworth Rd. *Stam* —3C **4**
Chaucer Rd. *Pet* —4G **11**
Chelmer Gth. *Pet* —3H **11**
Cheltenham Clo. *Pet* —5B **12**
Chelveston Way. *Pet* —1E **17**
Cherryfields. *Ort Wa* —1A **22**
Cherry Gro. *Mkt D* —3D **6**
Cherryholt La. *Stam* —4G **5**
Cherryholt Rd. *Stam* —4H **5**
Cherry Orton Rd. *Ort Wa*
    —3B **22**
Cherrytree Gro. *Pet* —5C **12**
Cherry Tree Gro. *Whit* —4E **29**
Cherry Tree Wlk. *Yax* —4E **27**
Chester Rd. *Pet* —1C **18** (1G **3**)
Chesterton Gro. *Pet* —1D **24**
Chestnut Av. *Pet* —4B **12**
Chestnut Clo. *Glin* —1A **8**
Chestnut Cres. *Whit* —4D **28**
Chestnut Gdns. *Stam* —4B **4**
Chestnut Way. *Mkt D* —2C **6**
Cheviot Av. *Pet* —1G **11**
Cheyne La. *Stam* —4G **5**
Cheyney Ct. *Ort M* —3D **22**
Childers St. *Whit* —2B **28**
Chiltern Rise. *Pet* —1F **11**
Chippenham M. *Pet* —6E **17**
Chisenhale. *Ort Wa* —1A **22**
Christopher Clo. *Pet* —3H **11**
Church Ct. *Stam* —5G **5**
Church Dri. *Ort Wa* —3B **22**
Churchfield Ct. *Pet* —3F **11**
Churchfield Rd. *Pet* —2F **11**
Churchfield Way. *Whit*
    —3B **28**
Church Ga. *Deep J* —4G **7**
Church Hill. *Cas* —3C **14**
Church Hill Clo. *Far* —6C **24**
Churchill Clo. *Far* —5C **24**
Churchill Ho. *Pet* —6C **2**
Churchill Rd. *Pet* —4A **18**
Churchill Rd. *Stam* —2E **5**
Church La. *Old F* —6B **18**
Church La. *Ort Wa* —2B **22**

Church La. *Stam* —5G **5**
Church La. *Stan* —6B **18**
Church La. *Wer* —6D **8**
Church St. *Alw* —3E **21**
Church St. *Deep J* —5F **7**
Church St. *Mkt D* —3C **6**
Church St. *Pet* —3A **18** (4C **2**)
Church St. *Stam* —5G **5**
Church St. *Stan* —6C **18**
Church St. *Wer* —6D **8**
Church St. *Whit* —4C **28**
Church St. *Yax* —5B **26**
Church Vw. Clo. *Stan* —6C **18**
Church Wlk. *Far* —5C **24**
Church Wlk. *Pet*
    —2A **18** (1C **2**)
Church Wlk. *Yax* —5B **26**
Cissbury Ring. *Pet* —1E **11**
City Rd. *Pet* —3A **18** (3D **2**)
Clare Clo. *Stam* —4E **5**
Clarence Rd. *Pet* —6G **11**
Clarendon Way. *Glin* —1B **8**
Clare Rd. *N'boro* —6F **7**
Clare Rd. *Pet* —5H **11**
Clavering Wlk. *Pet* —4D **8**
Claygate. *Whit* —3C **28**
Clay La. *Cas* —3C **14**
Claypole Dri. *N'boro* —6F **7**
Clayton. *Ort G* —3C **22**
Cleatham. *Bret* —1C **16**
Cleveland Ct. *Pet* —1G **11**
Cleve Pl. *Eye* —1G **13**
Cliff Cres. *Stam* —4F **5**
Cliff Rd. *Stam* —4F **5**
Clifton Av. *Pet* —2G **17**
Clipston Wlk. *Pet* —6F **11**
Clover Rd. *Mkt D* —3C **6**
Clumber Rd. *Pet* —1E **25**
Coates Rd. *Whit* —3H **29**
Cobbet Pl. *Pet* —2B **18** (1F **3**)
Cobden Av. *Pet* —1H **17** (1B **2**)
Cobden St. *Pet* —1H **17** (1A **2**)
Cock Clo. Rd. *Yax* —3B **26**
Coleridge Pl. *Pet* —4G **11**
College Pk. *Pet* —6C **12**
Collingham. *Ort G* —4B **22**
Coltsfoot Dri. *Pet* —6G **17**
Comn. Drove. *Whit* —1B **28**
Common Rd. *Whit* —2B **28**
Conduit Rd. *Stam* —3G **5**
Coneygree Rd. *Pet* —1C **24**
Conifers, The. *Ort Wa* —1B **22**
Coningsby Rd. *Bret* —1C **16**
Coniston Rd. *Pet* —1G **11**
Connaught M. *Pet* —3G **11**
Conquest Drove. *Far* —6D **24**
Constable Clo. *Whit* —2F **29**
Constable Cres. *Whit* —2F **29**
Conway Av. *Pet* —1E **11**
Cookson Clo. *Yax* —5B **26**
Cookson Wlk. *Yax* —5C **26**
Copeland. *Bret* —2B **16**
Copeland Cen. *Bret* —2B **16**
Copper Beech Way. *Pet*
    —6B **18**
Coppingford Clo. *Pet* —1D **24**
Copsewood. *Pet* —5E **9**
Corfe Av. *Pet* —1E **11**
Cornflower Clo. *Stam* —3A **4**
Cornistall Bldgs. *Stam* —4G **5**
Cornwall Rd. *Stam* —3F **5**
Coronation Av. *Whit* —3E **29**
Cosgrove Clo. *Pet* —5E **11**

Cotswold Clo. *Pet* —2G **11**
Cottesmore Clo. *Pet* —1E **17**
Cottesmore Rd. *Stam* —4C **4**
Cotton End. *Bret* —1C **16**
Council St. *Pet* —3F **11**
Coventry Clo. *Pet* —6D **8**
Coverdale Wlk. *Pet* —4C **8**
Covert, The. *Pet* —4D **16**
Cowgate. *Pet* —3H **17** (4B **2**)
Cow La. *Cas* —3D **14**
Cowper Rd. *Pet* —4H **11**
Cowslip Dri. *Deep J* —2E **7**
Cow Way. *East* —3H **29**
Crabapple Grn. *Ort Wi* —1H **21**
Crabtree. *Pet* —2B **12**
Craig St. *Pet* —2H **17** (1B **2**)
Crane Av. *Yax* —3D **26**
Cranemore. *Pet* —5C **8**
Cranford Dri. *Pet* —1E **17**
Crawthorne Rd. *Pet*
    —2A **18** (1D **2**)
Crawthorne St. *Pet*
    —2B **18** (1E **3**)
Crease Bank. *Whit* —4B **28**
Creighton Ho. *Pet* —3E **3**
Crescent Bri. *Pet* —3H **17**
Crescent Clo. *Whit* —3F **29**
Crescent Rd. *Whit* —3E **29**
Crescent, The. *Eye* —1H **13**
Crescent, The. *Ort L* —2E **23**
Crescent, The. *Wood* —6G **17**
Crester Dri. *Pet* —6E **9**
Cripple Sidings La. *Pet*
    —5A **18**
Crocus Gro. *Pet* —3A **12**
Crocus Way. *Yax* —3D **26**
Cromarty Rd. *Stam* —3C **4**
Cromwell Clo. *N'boro* —6F **7**
Cromwell Rd. *Pet*
  (in two parts) —1H **17** (1B **2**)
Cromwell Way. *Mkt D* —2B **6**
Cropston Rd. *Pet* —4E **13**
Cross Drove. *Whit* —6A **28**
Cross Keys La. *Stam* —4F **5**
Cross Rd. *Mkt D* —1G **7**
Cross Rd. *Whit* —3C **28**
Cross St. *Far* —5D **24**
Cross St. *Pet* —3A **18** (4C **2**)
Crossway Hand. *Whit* —2A **28**
Crowfields. *Deep J* —3G **7**
Crowhurst. *Pet* —4E **9**
Crowland Rd. *Eye* —1H **13**
Crown La. *Tin* —6A **4**
Crown St. *Pet* —4G **11**
Crown St. *Stam* —4F **5**
Crowson Way. *Deep J* —3E **7**
Croyland Rd. *Pet* —2F **11**
Cumber Ga. *Pet* —3A **18** (4C **2**)
Cumberland Ho. *Pet* —3E **3**
Curlew Clo. *Whit* —2C **28**
Curlew Gro. *Stan* —6D **18**
Curlew Wlk. *Mkt D* —3D **6**
Cygnet Pk. Ind. Est. *Hamp H*
    —4G **23**
Cypress Clo. *Pet* —3C **16**

Daffodil Gro. *Pet* —6C **18**
Dalby Ct. *Pet* —3C **12**
Dale Clo. *Ort Wa* —2B **22**
Danes Clo. *Pet* —1C **18**
Daniel Ct. *Stam* —5G **5**
Danish Ct. *Wer* —5C **8**

Darwin Clo. *Stam* —2E **5**
David's Clo. *Pet* —5B **8**
David's La. *Pet* —5C **8**
Davie La. *Whit* —1F **29**
Deaconscroft. *Pet* —6D **10**
Deacon St. *Pet* —2H **17** (2B **2**)
Dean's Ct. *Pet* —3A **18** (4D **2**)
Debdale. *Ort Wa* —3A **22**
Debdale. Ct. *Whit* —4E **29**
De Bec Clo. *Pet* —2C **18** (2G **3**)
Deene Clo. *Mkt D* —3B **6**
Deene Ct. *Pet* —6E **11**
Deeping St James Rd. *Deep J*
　　　　—5F **7**
Deerhurst Way. *Eye* —1H **13**
Deerleap. *Bret* —6C **10**
Delamere Clo. *Pet* —6C **12**
Delapre Ct. *Eye* —1G **13**
Dell, The. *Pet* —6G **17**
Delph. *Whit* —2C **28**
Delph Ct. *Pet* —1F **25**
Delph St. *Whit* —3C **28**
Demontford Ct. *Pet* —5H **17**
Denham Wlk. *Pet* —1E **17**
Denis Dri. *Ort Wa* —3C **22**
Denmark Dri. *Ort Wa* —3C **22**
Denton Rd. *Pet* —1D **24**
Derby Dri. *Pet* —5C **12**
Derwent Dri. *Pet* —1G **11**
Derwood Gro. *Pet* —4D **8**
Desborough Av. *Pet* —3D **24**
Diana Clo. *Whit* —4F **29**
Dickens. *Stam* —4C **4**
Dickens St. *Pet*
　　　　—2B **18** (2E **3**)
Dingley Ct. *Pet* —6E **11**
Dixons Rd. *Mkt D* —4D **6**
Doddington Dri. *Pet* —3D **16**
Dogsthorpe Gro. *Pet* —6A **12**
Dogsthorpe Rd. *Pet* —4A **12**
Donaldson Dri. *Pet* —1H **11**
Donegal Clo. *Pet* —1F **11**
Dorchester Cres. *Pet* —4D **12**
Doughty St. *Stam* —2H **5**
Douglas Rd. *Mkt D* —4D **6**
Dovecote Clo. *Pet* —4A **12**
Dovecote La. *Yax* —4B **26**
Dovecote Rd. *Mkt D* —2B **6**
Dove Ho. *Pet* —3E **3**
Dover Rd. *Pet* —1E **11**
Downgate. *Pet* —4B **16**
Downing Cres. *Stam* —2F **5**
Drain Rd. *Newb* —3H **9**
Drayton. *Bret* —1C **16**
Drift Av. *Stam* —3H **5**
Drift Gdns. *Stam* —2H **5**
Drift Rd. *Stam* —3G **5**
Drive, The. *Pet* —3G **17**
Drybread Rd. *Whit* —2E **29**
Dryden Rd. *Pet* —4G **11**
Dry Leys. *Pet* —1E **23**
Duce Gdns. *Deep J* —2E **7**
Duckworth Clo. *Whit* —4D **28**
Dudley Av. *Pet* —1E **11**
Dukesmead. *Pet* —1C **10**
Dukesmead & Werrington Res.
　　　　Pk. *Pet* —1C **10**
Duke St. *Pet* —6A **18**
Dunblane Dri. *Ort S* —3H **21**
Dundee Crest. *Yax* —3D **26**
Dundee Dri. *Stam* —3C **4**
Dunsberry. *Bret* —3B **10**
Dunstan Ct. *Pet* —6C **12**

Durham Rd. *Pet*
　　　　—2C **18** (1G **3**)
Dyson Clo. *Pet* —2H **17** (1A **2**)

Eaglesthorpe. *Pet* —4G **11**
Eames Gdns. *Pet* —5E **13**
Earith Clo. *Pet* —2E **25**
Earls Clo. *Pet* —1B **24**
Earl Spencer Ct. *Pet* —5G **17**
Earlswood. *Ort B* —2A **22**
East Delph. *Whit* —2D **28**
Eastern Av. *Pet* —3B **12**
Eastern Clo. *Pet* —4D **12**
Eastfield. *Mkt D* —3D **6**
Eastfield Dri. *Whit* —4E **29**
Eastfield Gro. *Pet*
　　　　—1B **18** (1F **3**)
Eastfield Rd. *Pet*
　　　　—2B **18** (2E **3**)
Eastgate. *Deep J* —5G **7**
Eastgate. *Pet* —3B **18** (3F **3**)
Eastgate. *Whit* —3D **28**
Eastgate M. *Whit* —3D **28**
Eastholm Clo. *Pet*
　　　　—2C **18** (1G **3**)
Eastleigh Rd. *Pet*
　　　　—2C **18** (1H **3**)
E. of England Way. *Alw* —3F **21**
Eastrea Ct. *Pet* —1E **25**
Eastrea Rd. *Whit* —3D **28**
E. Station Rd. *Pet* —4A **18**
East St. *Stam* —4G **5**
Edenfield. *Ort L* —1E **23**
Edgcote Clo. *Pet* —6E **11**
Edgerley Drain Rd. *Pet* —6F **13**
Edgerley Drove. *Eye* —2F **13**
Edinburgh Av. *Pet* —6D **8**
Edinburgh Rd. *Stam* —3E **5**
Edmonds Clo. *Stam* —3H **5**
Edwalton Av. *Pet* —2G **17**
Edward Rd. *Stam* —2F **5**
Egar Way. *Bret* —3B **16**
Eight Acres. *Stam* —4E **5**
Eldern. *Ort M* —3E **23**
Elizabeth Ct. *Pet* —6A **12**
Elizabeth Rd. *Stam* —3E **5**
Ellindon. *Bret* —4E **11**
Elliot Av. *Pet* —3B **16**
Ellwood Av. *Pet* —1E **25**
Elm Clo. *Mkt D* —3D **6**
Elm Clo. *Yax* —3D **26**
Elm Cres. *Glin* —1A **8**
Elmfield Rd. *Pet* —4A **12**
Elmore Rd. *Pet* —2C **16**
Elm Pk. *Whit* —3D **28**
Elm St. *Pet* —6H **17**
Elm St. *Stam* —4G **5**
Elstone. *Ort Wa* —3B **22**
Elter Wlk. *Pet* —6G **9**
Elton Chesterton By-Pass.
　　　　Ches —6F **21**
Elton Clo. *Stam* —3D **4**
Ely Clo. *Pet* —6D **8**
Embankment Rd. *Pet*
　　　　—4A **18** (6D **2**)
Emlyns Gdns. *Stam* —3G **5**
Emlyns St. *Stam* —3G **5**
Emmanuel Rd. *Stam* —2F **5**
Empingham Rd. *Stam* —3A **4**
Empson Rd. *Pet* —6F **13**
Enfield Gdns. *Pet* —1E **17**
　　(in two parts)

Engaine. *Ort L* —2D **22**
English St. *Pet* —6G **11**
Ennerdale Rise. *Pet* —1F **11**
Ermine Clo. *Stam* —4D **4**
Ermine Way. *Deep J* —3F **7**
Ermine Way. *Stam* —4D **4**
Eskdale Clo. *Pet* —6G **9**
Essendyke. *Bret* —4C **10**
Essex Rd. *Stam* —3E **5**
Everdon Way. *Pet* —6E **11**
Everingham. *Ort B* —2H **21**
Exchange St. *Pet*
　　　　—3A **18** (4C **2**)
Exeter Clo. *Deep J* —4F **7**
Exeter Gdns. *Stam* —5D **4**
Exeter Rd. *Pet* —5H **11**
Exton Clo. *Stam* —4C **4**
Eyebrook Gdns. *Pet* —6G **9**
Eyebury Rd. *Eye* —1H **13**
Eye By-Pass. *Eye* —2C **12**
Eye Rd. *Pet* —5E **13**
Eynesford Clo. *Pet* —2G **25**
Eyrescroft. *Bret* —4C **10**

Fairchild Way. *Pet* —4A **12**
Fairfax Way. *Deep G* —5F **7**
Fairfield Rd. *Pet* —5A **18**
Fairmead Way. *Pet* —3G **17**
Falcon La. *Whit* —3C **28**
Falkirk Clo. *Stam* —3C **4**
Fallodan Rd. *Ort S* —5G **21**
Fallowfield. *Ort Wi* —2H **21**
Fane Clo. *Stam* —2F **5**
Fane Rd. *Pet* —3G **11**
Farleigh Fields. *Ort Wi* —1H **21**
Farm Vw. *Cas* —3C **14**
Farnsworth Ct. *Pet* —1B **24**
Far Pasture. *Pet* —4D **8**
Farriers Ct. *Ort L* —6F **17**
Farringdon Clo. *Pet* —5D **12**
Fawsley Gth. *Pet* —5E **11**
Felbrigg Wlk. *Pet* —1F **25**
Feldale Pl. *Whit* —2E **29**
Fellowes Gdns. *Pet* —6A **18**
Fellowes Rd. *Pet* —6A **18**
Fenbridge Rd. *Pet* —5E **9**
Feneley Clo. *Deep J* —3E **7**
Fengate. *Pet* —3C **18** (4G **3**)
Fengate Clo. *Pet* —3C **18** (4F **3**)
Fengate Trad. Est. *Pet*
　　　　—4C **18** (5H **3**)
Fenlake Bus. Cen. *Fen* —3E **19**
Fenland Ct. *Whit* —3B **28**
Fenland District Council Ind.
　　　　Est. *Whit* —5E **29**
Fen Vw. *Stan* —1F **25**
Ferndale Way. *Pet* —2B **12**
Ferry Dri. *Pet* —3G **15**
Ferry Meadows Cvn. Site.
　　　　Ort Wa —6A **16**
Ferryview. *Ort Wi* —1H **21**
Ferry Wlk. *Ort Wa* —4H **15**
Festival Ct. *Pet* —6D **10**
Fieldfare Dri. *Stan* —1E **25**
Field Ri. *Yax* —4B **26**
Fields End Clo. *Hamp H*
　　　　—5F **23**
Field Ter. *Far* —5C **24**
Field Wlk. *Pet* —3B **18** (3F **3**)
Fife Clo. *Stam* —3B **4**
Figtree Wlk. *Pet* —4A **12**
Finchfield. *Pet* —4F **13**

Finchley Grn. *Pet* —2G **17**
Finemere Pk. *Ort S* —6G **21**
Finkle La. *Whit* —3C **28**
Fir Rd. *Stam* —2B **4**
First Drift. *Wot* —6F **5**
First Drove. *Fen* —4D **18**
Fitzwilliam Rd. *Stam* —2D **4**
Fitzwilliam St. *Pet*
　　　　—2A **18** (2C **2**)
Five Arches. *Ort Wi* —1G **21**
Flag Bus. Exchange. *Pet*
　　　　—2E **19**
Flag Fen Rd. *Pet* —1C **18**
Flamborough Clo. *Pet* —4G **17**
Flaxland. *Bret* —5C **10**
Fleet Drove. *Pet* —1B **24**
Fleet Way. *Pet* —1B **24**
Fletton Av. *Pet* —5A **18**
Fletton Fields. *Pet* —6A **18**
Fletton Parkway. *Pet* —6G **21**
Flore Clo. *Pet* —6E **11**
Florence Clo. *Whit* —4E **29**
Florence Way. *Mkt D* —3D **6**
Folly Clo. *Yax* —3A **26**
Forest Gdns. *Stam* —2B **4**
Forge Clo. *Whit* —4D **28**
Forge End. *Alw* —3E **21**
Forty Acre Rd. *Pet* —3D **18**
Foundry Rd. *Stam* —4E **5**
Fountains Pl. *Eye* —1H **13**
Fouracre Ter. *Pet* —5C **8**
Fourth Drove. *Pet* —2F **19**
Foxcovert Rd. *Pet & Pet* —1C **8**
Foxcovert Rd. *Wer* —5D **8**
Foxcovert Wlk. *Pet* —3D **8**
Foxdale. *Pet* —4H **11**
Fox Dale. *Stam* —3D **4**
Foxglove Rd. *Stam* —2A **4**
Foxgloves. *Deep J* —2E **7**
Foxley Clo. *Pet* —5E **9**
Framlingham Rd. *Pet* —2F **25**
Francis Gdns. *Pet* —3H **11**
Franklyn Cres. *Pet* —5E **13**
Frank Perkins Parkway. *Pet*
　　　　—4B **18** (6F **3**)
Frank Perkins Way. *Pet*
　　　　—2D **18**
Fraserburgh Way. *Ort S*
　　　　—3H **21**
Fraser Clo. *Deep J* —3E **7**
Freesia Way. *Yax* —3D **26**
Freston. *Pet* —1H **11**
Frognall. *Deep J* —3H **7**
Fulbridge Rd. *Pet* —4E **9**
Fulham Rd. *Pet* —1G **17**
Furze Ride. *Pet* —3B **12**

Gainsborough Rd. *Stam*
　　　　—2D **4**
Gallions Clo. *Pet* —2F **11**
Gannocks Clo. *Ort Wa* —2B **22**
Gannocks, The. *Ort Wa*
　　　　—2B **22**
Garden Clo. *Stam* —4B **4**
Garden Gro. *Whit* —4C **28**
Garrick Wlk. *Pet* —6B **18**
Garton End Rd. *Pet* —5A **12**
Garton St. *Pet* —6A **12**
Gascoigne. *Pet* —4B **8**
Gas La. *Stam* —4G **5**
Gas St. *Stam* —4G **5**
Gatenby. *Pet* —5E **9**

Gayton Ct. *Pet* —6E **11**
Gazeley Gdns. *Far* —5C **24**
Geneva St. *Pet* —2A **18** (2C **2**)
George St. *Pet* —5H **17**
Georgian Ct. *Pet* —4G **17**
Giddings Clo. *Pet* —3B **22**
Giddon's Drove. *N'boro* —6H **7**
Gildale. *Pet* —5F **9**
Gildenburgh Av. *Pet* —6D **12**
Gilmorton Dri. *Pet* —4D **12**
Gilpin St. *Pet* —5G **11**
Gipsy La. *Stam* —2H **5**
Girton Way. *Stam* —2E **5**
Gladstone St. *Pet*
　　　　　　—6G **11** (1A **2**)
Glamis Gdns. *Pet* —3D **16**
Glastonbury Clo. *Eye* —1G **13**
Glatton Dri. *Pet* —1D **24**
Glebe Av. *Ort Wa* —3A **22**
Glebe Ct. *Pet* —5B **18**
Glebe Rd. *Pet* —5A **18**
Glemsford Rise. *Pet* —6E **17**
Glencoe Way. *Ort S* —4H **21**
Glen Cres. *Stam* —2G **5**
Glendale. *Ort Wi* —1H **21**
Gleneagles. *Ort Wa* —1B **22**
Gleneagles. *Stam* —3B **4**
Glenfields. *Whit* —2B **28**
Glen, The. *Pet* —6B **18**
Glenton St. *Pet* —3C **18** (3G **3**)
Glinton By-Pass. *Glin* —2A **8**
Glinton Rd. *Milk N* —1G **9**
Global Bus. Pk. *Pet* —6F **11**
Gloucester Rd. *Pet* —6B **18**
Gloucester Rd. *Stam* —3F **5**
Godric Sq. *Pet* —1F **23**
Godsey Cres. *Mkt D* —3D **6**
Godsey La. *Mkt D* —2C **6**
Godwit Clo. *Whit* —1F **29**
Goffsmill. *Bret* —2C **16**
Goldcrest Ct. *Pet* —3C **12**
Goldhay Way. *Ort G* —4A **22**
Goldie La. *Ort Wa* —1B **22**
Goldsmiths La. *Stam* —4G **5**
Goodacre. *Ort G* —3C **22**
Goodwin Wlk. *Pet* —3D **8**
Goodwood Rd. *Bret* —2B **16**
Gordon Av. *Pet* —6G **17**
Gordon Way. *Ort L* —6E **17**
Gorse Grn. *Pet* —3B **12**
Gosling Drove. *Far* —6G **25**
Gostwick. *Ort B* —2H **21**
Goy Clo. *Pet* —4H **11**
Gracechurch Ct. *Pet* —6C **12**
Gracious St. *Whit* —3C **28**
Grafham Clo. *Pet* —2E **25**
Grafton Av. *Pet* —2E **17**
Grampian Way. *Pet* —2G **11**
Granby St. *Pet* —3B **18** (4E **3**)
Grange Av. *Pet* —5A **12**
Grange Cres. *Ort L* —2C **22**
Grange Rd. *Pet* —2F **17**
Gransley Rise. *Pet* —6E **11**
Granville Av. *N'boro* —6F **7**
Granville St. *Pet*
　　　　　　—1A **18** (1D **2**)
Grasmere Gdns. *Pet* —6F **9**
Gravel Wlk. *Pet* —4A **18** (5D **2**)
Gray Ct. *Pet* —4G **11**
Gt. Drove. *Yax* —4E **27**
Gt. Northern Cotts. *Pet*
　　　　　　—5G **11**
Gt. North Rd. *Gt Cas* —1A **4**

Grebe Clo. *Whit* —2F **29**
Greenacres. *Pet* —5C **8**
Green Farm Clo. *Cas* —3C **14**
Greengate Ct. *Pet* —1C **18**
Greenham. *Bret* —2C **16**
Green La. *Pet* —1A **18**
Green La. *Stam* —2F **5**
Green La. *Yax* —3B **26**
Green Man La. *Mar* —2A **10**
Green, The. *Cas* —3C **14**
Green, The. *Glin* —1A **8**
Green, The. *Pet* —6E **9**
Green, The. *Yax* —4C **26**
Green Wlk. *Mkt D* —3B **6**
Gresham Sq. *Pet* —2E **19**
Gresley Dri. *Stam* —5F **5**
Gresley Way. *Pet* —4E **11**
Gretton Clo. *Pet* —6E **17**
Griffiths Ct. *Ort B* —2A **22**
Grimshaw Rd. *Pet* —5B **12**
Grimsthorpe Clo. *Mkt D* —3B **6**
Grovelands. *Pet* —3G **17**
Grove La. *Long* —3C **16**
Grove St. *Pet* —5H **17**
Grove, The. *Mkt D* —3C **6**
Grove, The. *Whit* —4E **29**
Guildenburgh Cres. *Whit*
　　　　　　—3E **29**
Gull Way. *Whit* —2E **29**
Gullymore. *Bret* —3B **10**
Gunthorpe Ridings. *Pet* —6H **9**
Gunthorpe Rd. *Newb* —6H **9**
Gunthorpe Rd. *Pet* —1F **11**
Gurnard Leys. *Pet* —2C **10**
Guthlac Av. *Pet* —3F **11**
Gwash Way. *Stam* —2H **5**

Hacke Rd. *Pet* —2F **17**
Haddonbrook Bus. Cen. *Ort S*
　　　　　　—5G **21**
Haddon Clo. *Pet* —2E **25**
Haddon Rd. *Pet* —2G **17**
Haddon Rd. *Stam* —3D **4**
Haddon Way. *Far* —5B **24**
Hadley Rd. *Pet* —2F **11**
Hadrians Ct. *Pet* —5B **18**
Half Acre Drove. *East* —3G **29**
Halfleet. *Mkt D* —2B **6**
Hallaton Rd. *Pet* —3D **12**
Hallcroft Rd. *Whit* —3B **28**
Hall Farm. *Mkt D* —2C **6**
Hallfields La. *Pet* —1G **11**
Hall La. *Pet* —5E **9**
Hall Mdw. Rd. *Mkt D* —1G **7**
Hambleton Rd. *Stam* —5C **4**
Ham La. *Ort Wa* —6H **15**
Hampton Ct. *Pet* —5E **11**
Hanbury. *Ort G* —4B **22**
Hankey St. *Pet* —1H **17**
Hanover Ct. *Bret* —3C **10**
Hardwick Ct. *Pet* —3D **16**
Hardwick Rd. *Stam* —3D **4**
Hardys La. *Whit* —4D **28**
Harebell Clo. *Pet* —2B **12**
Harewood Gdns. *Pet* —3D **16**
Hargate Way. *Hamp H* —5E **23**
Harlech Grange. *Pet* —5C **16**
Harlton Clo. *Pet* —2E **25**
Harpers Clo. *Whit* —3C **28**
Harrier Pk. *Ort S* —5H **21**
Harrison Clo. *Bret* —3B **16**

Harris St. *Pet* —6H **11**
Hartford Ct. *Pet* —1D **24**
Hart's La. *Whit* —3C **28**
Hartwell Ct. *Pet* —6F **11**
Hartwell Way. *Pet* —5D **10**
Harvester Way. *Pet*
　　　　　　—4C **18** (5H **3**)
Hastings Rd. *Pet* —1E **11**
Havelock Dri. *Pet* —1E **25**
Haveswater Clo. *Pet* —1G **11**
Hawkshead Way. *Pet* —6G **9**
Hawthorn Clo. *Mkt D* —2C **6**
Hawthorn Dri. *Whit* —4E **29**
Hawthorn Rd. *Pet* —5C **12**
Hawthorn Rd. *Yax* —4D **26**
Haywards Fld. *Pet* —4C **16**
Hazelcroft. *Pet* —5C **8**
Hazel Gro. *Stam* —3B **4**
Headlands Way. *Whit* —2C **28**
Heather Av. *Pet* —3A **12**
Heatherdale Clo. *Far* —2C **24**
Heath Row. *Pet* —2B **12**
Heaton Clo. *Pet* —2D **16**
Hedgelands. *Pet* —3E **9**
Helmsdale Gdns. *Pet* —1D **10**
Helmsley Ct. *Pet* —2F **25**
Helpston Rd. *Ail & Glin*
　　　　　　—3B **14**
Helpston Rd. *Glin* —1A **8**
Heltwate. *Bret* —4E **11**
Heltwate Ct. *Bret* —4D **10**
Hemingford Cres. *Pet* —1E **25**
Hennerley Dri. *Whit* —2D **28**
Henry Ct. *Pet* —1A **18** (1C **2**)
Henry Penn Wlk. *Pet* —6C **2**
Henry St. *Pet* —1A **18**
Henshaw. *Pet* —5E **13**
Hereward Clo. *Pet*
　　　　　　—3B **18** (4F **3**)
Hereward Cross. *Pet*
　　　　　　—3A **18** (3D **2**)
Hereward Rd. *Pet*
　　　　　　—3B **18** (4F **3**)
Hereward Way. *Deep J* —4F **7**
Heritage Ct. *Pet* —6C **12**
Herlington. *Ort M* —3D **22**
Herlington Cen. *Ort M* —3D **22**
Hermitage, The. *Stam* —4D **4**
Heron Clo. *Whit* —2E **29**
Heron Ct. *Pet* —1D **24**
Heron Pk. *Pet* —5F **13**
Heronry Dri. *Milt* —3A **16**
Herrick Clo. *Pet* —3G **11**
Hetley. *Ort G* —3C **22**
Hexham Ct. *Pet* —2D **18** (1H **3**)
Heyford Clo. *Pet* —1H **11**
Hickling Wlk. *Pet* —6G **9**
Hicks La. *Pet* —2H **23**
Highbury St. *Pet* —1H **17**
High Causeway. *Whit* —3D **28**
　(in two parts)
Highclere Rd. *Hamp H* —4F **23**
Highfield Wlk. *Yax* —3E **27**
Highlands Way. *Stam* —4D **4**
High St. Castor, *Cas* —3D **14**
High St. Eye, *Eye* —1G **13**
High St. Glinton, *Glin* —1A **8**
High St. Market Deeping,
　　　　　　Mkt D —4D **6**
High St. Peterborough, *Pet*
　　　　　　—1H **23**
High St. St Martin's, *Stam*
　　　　　　—5G **5**

High St. Stamford, *Stam*
　　　　　　—4F **5**
Hillary Clo. *Stam* —3H **5**
Hill Clo. *Pet* —6D **12**
Hillcrest Av. *Yax* —4C **26**
Hill La. *Water* —6A **14**
Hillside Wlk. *Yax* —3E **27**
Hillward Clo. *Ort L* —1E **23**
Hinchcliffe. *Ort G* —5A **22**
Hod Fen Drove. *Yax* —6C **26**
Hodgson Av. *Pet* —3C **8**
Hodney Rd. *Eye* —1F **13**
Hog Fen Drove. *Yax* —4E **27**
Holcroft. *Ort M* —4D **22**
Holdfield. *Pet* —5D **10**
Holdich St. *Pet* —3G **17**
Holgate La. *Pet* —3D **8**
Holkham Rd. *Ort S* —4H **21**
Holland Av. *Pet* —2F **11**
Holland Clo. *Mkt D* —2B **6**
Holland Clo. *Pet* —2F **11**
Holland Rd. *Stam* —3G **5**
Holly Wlk. *Hamp H* —4F **23**
Holly Way. *Deep J* —4E **7**
Holme Clo. *Ail* —3B **14**
Holme Rd. *Yax* —5C **26**
Holmes Rd. *Glin* —2B **8**
Holmes Way. *Pet* —1G **11**
Holywell Clo. *Pet* —4C **16**
Holywell Way. *Pet* —3B **16**
Home Pasture. *Pet* —4D **8**
Honey Hill. *Pet* —2A **12**
Honeysuckle Ct. *Pet* —6G **17**
Horsegate. *Deep J* —4E **7**
Horsegate. *Whit* —3C **28**
Horsegate La. *Whit* —3C **28**
Horseshoe La. *Stam* —4F **5**
　(off Sheep Mkt.)
Horton Wlk. *Pet* —6F **11**
Houghton Av. *Pet* —2F **25**
Howland. *Ort G* —4C **22**
Hoylake Dri. *Far* —2C **24**
Hungarton Ct. *Pet* —3D **12**
Hunsbury Clo. *Whit* —5E **29**
Hunting Av. *Pet* —6H **17**
Huntly Gro. *Pet* —1A **18**
Huntly Rd. *Pet* —6G **17**
Huntly Sq. *Ort Wa* —3A **22**
　(off Glebe Av.)
Huntsmans Ga. *Bret* —2B **16**
Hurn Rd. *Wer* —1A **10**
Hyholmes. *Bret* —4B **10**
Hythegate. *Pet* —5F **9**

Ibbott Clo. *Pet* —2E **25**
Ihlee Clo. *Pet* —2G **11**
Ilex Clo. *Hamp H* —4E **23**
Iliffe Ga. *Pet* —1H **11**
Illston Pl. *Pet* —4E **13**
Ingleborough. *Pet* —6A **12**
Inglis Ct. *Bret* —2C **10**
Inhams Ct. *Whit* —4D **28**
Inhams Rd. *Whit* —4D **28**
Irchester Pl. *Pet* —6F **11**
Irnham Rd. *Stam* —3G **5**
Ironmonger St. *Stam* —4G **5**
Irving Burgess Clo. *Whit*
　　　　　　—2B **28**
Isham Rd. *Pet* —1F **17**
Itter Cres. *Pet* —2G **11**
Ivatt Way. *Pet* —5E **11**
Ivy Gro. *Pet* —1F **11**

Ivy La. *Whit* —3C **28**
Ixworth Clo. *Eye* —1G **13**

James Gdns. *Whit* —3D **28**
Jasmine Ct. *Ort G* —5A **22**
Jasmine Way. *Yax* —2D **26**
Jellings Pl. *Pet* —1A **18**
Joan Wake Clo. *Mkt D* —2C **6**
John Bird Wlk. *Far* —5C **24**
John Eve Way. *Mkt D* —2C **6**
John King Gdns. *Stan* —1C **24**
Johnson Wlk. *Pet* —4H **11**
Jones La. *Whit* —3H **29**
Jordan M. *Pet* —2B **18** (2E **3**)
Jorose Way. *Bret* —2B **16**
Joseph Odam Way. *Lyn W*
　　　　　　　　—3F **21**
Jubilee Ct. *Bret* —4D **10**
Jubilee St. *Pet* —5H **17**
Juniper Cres. *Pet* —3C **16**

Keats Gro. *Stam* —4C **4**
Keats Way. *Pet* —4G **11**
Keble Clo. *Stam* —2E **5**
Keble Ct. *Stam* —2E **5**
Keeton Rd. *Pet* —4G **11**
Kelful Clo. *Whit* —3H **29**
Kelso Ct. *Pet* —2E **11**
Kendal Clo. *Pet* —1H **11**
Kendrick Clo. *Pet* —1D **24**
Kenilworth Av. *Pet* —2F **25**
Kennels Dri. *Milt* —1H **15**
Kennet Gdns. *Pet* —2G **11**
Kentmere Pl. *Pet* —1H **11**
Kent Rd. *Pet* —3G **17**
Kesteven Clo. *Mkt D* —3E **7**
Kesteven Dri. *Mkt D* —2B **6**
Kesteven Rd. *Stam* —2F **5**
Kesteven Wlk. *Pet*
　　　　　　—3B **18** (3E **3**)
Kestrel Ct. *Bret* —3B **16**
Keswick Clo. *Pet* —6H **9**
Kettering Rd. *Wot* —6F **5**
Keys Pk. *Pet* —4F **13**
Kildare Dri. *Pet* —1E **17**
Kilham. *Ort G* —5A **22**
Kilverstone. *Wer* —2D **8**
Kimbolton Ct. *Pet*
　　　　　　—2H **17** (1B **2**)
Kingfisher Clo. *Yax* —3B **26**
Kingfisher Rd. *Whit* —2E **29**
Kingfishers. *Ort Wi* —1H **21**
Kingsbridge Ct. *Pet* —4C **8**
King's Delph. *Whit* —2H **25**
King's Delph Drove. *Far*
(in two parts)　　　　—6E **25**
King's Delph Highway. *Far*
　　　　　　　　—5G **25**
Kings Dyke Clo. *Pet* —1E **25**
King's Gdns. *Pet* —6A **12**
Kingsley Rd. *Pet*
　　　　　—1C **18** (1H **3**)
Kings Mill La. *Stam* —5F **5**
Kings Rd. *Pet* —1B **24**
King's Rd. *Stam* —3F **5**
Kingston Dri. *Pet* —2E **25**
King St. *Pet* —3H **17** (4C **2**)
Kinnears Wlk. *Ort G* —5B **22**
Kipling Clo. *Stam* —4C **4**
Kipling Ct. *Pet* —3G **11**
Kirby Wlk. *Pet* —1E **17**

Kirkmeadow. *Bret* —3C **10**
Kirkstall. *Ort G* —4D **22**
Kirkton Ga. *Pet* —4C **16**
Kirkwood Clo. *Pet* —4G **17**
Knight Clo. *Deep J* —3E **7**
Knole Wlk. *Pet* —2D **16**

Laburnham Gro. *Pet* —3B **12**
Laburnum Av. *Yax* —3D **26**
Ladybower Way. *Pet* —6G **9**
Lady Charlotte Rd. *Hamp H*
　　　　　　　　—4F **23**
Lady Lodge Dri. *Ort Wa*
　　　　　　　　—2C **22**
Lady Margaret's Av. *Mkt D*
　　　　　　　　—3D **6**
Ladysmith Av. *Whit* —2E **29**
Lakeside. *Pet* —5F **9**
Lambert M. *Stam* —5G **5**
Lambes Ct. *Wer* —5C **8**
Lambeth Wlk. *Stam* —3E **5**
Lammas Rd. *Pet* —4A **12**
Lamport Clo. *Mkt D* —2B **6**
Lancashire Ga. *Pet*
　　　　　—3B **18** (4F **3**)
Lancaster Ct. *Yax* —3E **27**
Lancaster Rd. *Stam* —3F **5**
Lancaster Wlk. *Yax* —3D **26**
Lancaster Way. *Mkt D* —1C **6**
Lancaster Way. *Yax* —3D **26**
Lancing Clo. *Pet* —6E **9**
Landsdowne Rd. *Yax* —3D **26**
Landy Grn. Way. *Cas* —5E **15**
Langdyke. *Pet* —5F **13**
Langford Rd. *Pet* —6A **18**
Langley. *Bret* —3D **10**
Langton Rd. *Pet* —4D **12**
Lansdowne Wlk. *Pet* —6F **17**
Lapwing Dri. *Whit* —1F **29**
Larch Clo. *Yax* —3D **26**
Larch Gro. *Pet* —5C **12**
Larklands. *Pet* —4D **16**
Lark Ri. *Mkt D* —3D **6**
Larkspur Wlk. *Pet* —6F **9**
Latham Av. *Ort L* —1E **23**
Lattersey Clo. *Whit* —3E **29**
Launde Gdns. *Stam* —5C **4**
Laurel Clo. *Pet* —1D **24**
Lavender Clo. *Yax* —3D **26**
Lavender Cres. *Pet* —3A **12**
Lavender Way. *Stam* —2B **4**
Lavenham Ct. *Pet* —6E **17**
Lavington Grange. *Pet* —5E **13**
Lawn Av. *Pet* —4A **12**
Lawn Clo. *Yax* —5C **26**
Lawrence Av. *Far* —5C **24**
Law's Clo. *Milk N* —1H **9**
Laxton Sq. *Pet* —3A **18** (3D **2**)
Leading Drove. *Yax* —6B **26**
(in two parts)
Lea Gdns. *Pet* —4H **17**
Ledbury Rd. *Pet* —2D **16**
Ledham. *Ort B* —3H **21**
Lee Rd. *Yax* —5C **26**
Leeson Ho. *Pet* —4E **3**
Lees, The. *Deep J* —3F **7**
Leicester Ter. *Pet* —1H **17**
Leighton. *Ort M* —3E **23**
Leinsters Clo. *Pet* —3F **17**
Leofric Sq. *Pet* —2E **19**
Lessingham. *Ort B* —3H **21**

Lethbridge Rd. *Pet* —1G **11**
Levens Wlk. *Pet* —2D **16**
Lewes Gdns. *Pet* —6E **9**
Leys, The. *Pet* —4C **16**
Lichfield Av. *Pet* —6D **8**
Lidgate Clo. *Pet* —5E **17**
Lilac Rd. *Pet* —4C **12**
Lilac Wlk. *Yax* —3D **26**
Limes, The. *Cas* —4D **14**
Lime Tree Av. *Mkt D* —2B **6**
Lime Tree Av. *Pet* —1H **17**
Lime Tree Clo. *Yax* —2D **26**
Linchfield Clo. *Deep J* —3F **7**
Linchfield Rd. *Mkt D* —1E **7**
Lincoln Clo. *Mkt D* —2B **6**
Lincoln Rd. *Glin & Pet* —1A **8**
(in two parts)
Lincoln Rd. *Mkt D* —4C **6**
Lincoln Rd. *Pet* —4F **11** (3C **2**)
Lincoln Rd. *Stam* —2G **5**
Lincoln Rd. *Wer* —5C **8**
Lindens, The. *Pet* —1C **2**
Lindisfarne Rd. *Eye* —2G **13**
Lindridge Wlk. *Pet* —2C **16**
Lindsey Av. *Mkt D* —2B **6**
Lindsey Clo. *Pet* —2F **11**
Lindsey Ct. *Deep J* —4F **7**
Lindsey Rd. *Stam* —3G **5**
Ling Gth. *Pet* —3B **12**
Lingwood Pk. *Pet* —5C **16**
Link Rd. *Pet* —2H **17** (1A **2**)
Linkside. *Bret* —2D **10**
Linley Rd. *Whit* —4D **28**
Linnet. *Ort Wi* —2H **21**
Linnet Clo. *Mkt D* —3D **6**
Lister Rd. *Pet* —4H **11**
Litchfield Clo. *Yax* —4D **26**
Lit. Casterton Rd. *Stam* —1D **4**
Little Clo. *Eye* —2H **13**
Lit. John's Clo. *Bret* —2B **16**
Littlemeer. *Ort Wa* —3B **22**
Livermore Grn. *Pet* —3C **8**
Locks Clo. *Deep J* —5H **7**
Loder Av. *Bret* —3B **16**
Loire Ct. *Pet* —1G **17**
Lombardy Dri. *Pet* —3C **12**
London Rd. *Yax & Pet*
　　　　　—5A **26** (6D **2**)
London St. *Whit* —4C **28**
Long Causeway. *Pet*
　　　　　—3A **18** (4C **2**)
Long Pasture. *Pet* —4D **8**
Longthorpe Clo. *Pet* —3C **16**
Longthorpe Grn. *Pet* —4D **16**
Longthorpe Ho. *Long* —3B **16**
Longthorpe Parkway. *Long*
　　　　　　　　—5D **16**
Longwater. *Ort L* —1D **22**
Lonsdale Rd. *Stam* —4C **4**
Lornas Fld. *Hamp H* —4F **23**
Losecoat Clo. *Stam* —1H **5**
Lovells Ct. *Whit* —3D **28**
(off High Causeway)
Low Cross. *Whit* —2C **28**
Lowick Gdns. *Pet* —6E **11**
Lowther Gdns. *Pet* —1F **11**
Loxley. *Pet* —5C **8**
Luddington Rd. *Pet* —2F **11**
Luffenham Clo. *Stam* —4C **4**
Lutton Gro. *Pet* —6E **11**
Lyme Wlk. *Pet* —1E **17**
Lynch Cotts. *Ort Wi* —1G **21**
Lynch Wood. *Pet* —2F **21**

Lyndale Pk. *Ort Wi* —1G **21**
Lyndon Way. *Stam* —4C **4**
Lynton Rd. *Pet* —5H **11**
Lythemere. *Ort M* —3E **23**
Lyvelly Gdns. *Pet* —5E **13**

Mace Rd. *Pet* —2D **24**
Maffit Rd. *Ail* —3B **14**
Magee Rd. *Pet* —2F **11**
Magnolia Av. *Pet* —3C **16**
Maiden La. *Stam* —4G **5**
Main St. *Ail* —3B **14**
Main St. *Far* —5C **24**
Main St. *Gt Cas* —1A **4**
Main St. *Yax* —5C **26**
Malborne Way. *Ort M* —4D **22**
Mallaird Ct. *Stam* —5F **5**
Mallard Bus. Cen. *Bret* —2D **10**
Mallard Clo. *Whit* —2E **29**
Mallard Rd. *Pet* —2C **10**
Mallory La. Stam —4F **5**
(off All Saints St.)
Mallory Rd. *Pet* —3D **18** (3H **3**)
Malting Sq. *Yax* —3D **26**
Maltings, The. *Wot* —6G **5**
Malting Yd. *Stam* —5G **5**
Malvern Rd. *Pet* —1G **11**
Manasty Rd. *Ort S* —5H **21**
Mancetter Sq. *Pet* —2D **10**
Mandeville. *Ort G* —3B **22**
Manor Av. *Pet* —6B **18**
Manor Clo. *Yax* —4B **26**
(in two parts)
Manor Dri. *Pet* —6H **9**
Manor Farm La. *Cas* —3C **14**
Manor Gdns. *Pet* —6C **18**
Manor Gro. Cen. *Pet* —2E **19**
Manor Ho. Ct. *Deep J* —4F **7**
Manor Ho. St. *Pet*
　　　　　—2A **18** (2C **2**)
Manor Vw. *Whit* —4D **28**
Manor Way. *Deep J* —4F **7**
Mansfield Ct. *Pet* —6C **12**
Manton. *Bret* —2C **16**
Maple Clo. *Yax* —3D **26**
Maple Gro. *Pet* —4B **12**
Maples, The. *Pet* —6F **13**
Mardale Gdns. *Pet* —1H **11**
Marholm Rd. *Bret* —2C **10**
Marholm Rd. *Cas & Pet*
　　　　　　　　—3E **15**
Marholm Rd. *Pet* —2D **10**
Marigolds. *Deep J* —2E **7**
Market Deeping By-Pass.
　　　　　　　Mkt D —1B **6**
Market Ga. *Mkt D* —4C **6**
Market Pl. *Mkt D* —4C **6**
Market Pl. *Whit* —3C **28**
Market St. *Whit* —3C **28**
Market Way. *Pet*
　　　　　—3A **18** (3D **2**)
Markham Retail Pk. *Stam*
　　　　　　　　—2H **5**
Marlborough Clo. *Yax* —4C **26**
Marlowe Gro. *Pet* —3G **11**
Marne Av. *Pet* —2E **11**
Marne Rd. *Whit* —5E **29**
Marrigold Clo. *Stam* —3A **4**
Marriott Ct. *Pet* —6E **13**
Marshall's Way. *Far* —5C **24**
Marsham. *Ort G* —4B **22**
Martin Ct. *Pet* —5E **9**

Martin Ct. *Whit* —3C **28**
Martinsbridge. *Pet* —4F **13**
Martins Way. *Ort Wa* —2B **22**
Mary Armyne Rd. *Pet* —2D **22**
Mary Walsham Clo. *Pet*
   —2E **25**
Maskew Av. *Pet* —5G **11**
  (in two parts)
Masterton Clo. *Stam* —2H **5**
Masterton Rd. *Stam* —2G **5**
Matley. *Ort B* —2A **22**
Maud Swift Ct. *Pet* —1B **24**
Maxey Clo. *Mkt D* —3B **6**
Maxwell Rd. *Pet* —1F **23**
Mayfield Rd. *Pet* —4A **12**
Mayfield Rd. *Whit* —3H **29**
Mayor's Wlk. *Pet*
  (in two parts) —2F **17** (2A **2**)
Mead Clo. *Pet* —2D **10**
Meadenvale. *Pet* —5E **13**
Meadow Gro. *Pet* —2B **12**
Meadow Rd. *Mkt D* —3D **6**
Meadow Rd. *Milk N* —1E **9**
Meadows, The. *Mkt D* —3D **6**
Meadowsweet. *Stam* —2A **4**
Meadow Vw. *Whit* —3D **28**
Meadow Wlk. *Yax* —3E **27**
Mead, The. *Pet* —2D **10**
Meadway. *Mkt D* —2B **6**
Mealsgate. *Pet* —1H **11**
Medbourne Gdns. *Pet* —3D **12**
Medeswell. *Ort M* —3E **23**
Medworth. *Ort G* —4B **22**
Meggan Ga. *Pet* —4C **16**
Melancholy Wlk. *Stam* —5F **5**
Melbourne Rd. *Stam* —3H **5**
Melford Clo. *Pet* —4C **16**
Mellows Clo. *Pet*
   —2C **18** (2H **3**)
Mellows Ct. *Pet*—2C **18** (2H **3**)
Melrose Clo. *Stam* —3C **4**
Melrose Dri. *Pet* —6A **18**
Mendip Gro. *Pet* —1G **11**
Mercian Ct. *Pet* —6D **18**
Mere Drove. *Yax* —5D **26**
Merefield Vw. *Whit* —2D **28**
Merelade Gro. *Pet* —4C **8**
Mere Vw. *Yax* —3E **27**
Mere Vw. Ind. Est. *Yax* —3E **27**
Meriton. *Ort G* —4B **22**
Merlin Bus. Pk. *Bret* —1C **10**
Metro Cen., The. *Pet* —1F **23**
Mewburn. *Bret* —2C **10**
Meynell Wlk. *Pet* —2D **16**
  (in two parts)
Mickle Ga. *Pet* —4C **16**
Middlefield. *Hamp H* —4F **23**
Middleham Clo. *Pet* —2F **25**
Middle Pasture. *Pet* —4D **8**
Middle Rd. *Newb* —1H **9**
Middle St. *Far* —5C **24**
Middleton. *Bret* —1C **16**
Middletons Rd. *Yax* —4C **26**
Midgate. *Pet* —3A **18** (3D **2**)
Midland Rd. *Pet*
   —2G **17** (3A **2**)
Mildmay Rd. *Pet* —3F **11**
Mile Drove. *Yax* —4F **27**
Milk and Water Drove. *Far*
   —3G **25**
Milking Nook Rd. *Milk N*
   —1G **9**
Mill Cres. *Ort Wa* —3A **22**

Millfield Rd. *Deep J* —4F **7**
Millfield Rd. *Mkt D* —2A **6**
Millfield Way. *Whit* —4E **29**
  (in two parts)
Mill La. *Alw* —2E **21**
Mill La. *Tin* —6B **4**
Mill La. *Water* —6A **14**
Mill Rd. *Cas* —1D **20**
Mill Rd. *Max* —6A **6**
Mill Rd. *Ort Wa* —3A **22**
Mill Rd. *Whit* —4D **28**
Mill Vw. *Alw* —2E **21**
Milners Row. *Stam* —4G **5**
  (off Gas St.)
Milnyard Sq. *Pet* —5G **21**
Milton Bus. Pk. *Fen* —3E **19**
Milton Rd. *Pet* —6A **18**
Milton Way. *Bret* —2A **16**
Mina Clo. *Pet* —3D **24**
Minerva Bus. Pk. *Lyn W*
   —2F **21**
Minster Precincts. *Pet*
   —3A **18** (4D **2**)
Misterton. *Ort G* —4A **22**
Misterton Ct. *Ort G* —4A **22**
Moggswell La. *Pet* —3D **22**
Monarch Av. *Pet* —1A **24**
Monks Clo. *Whit* —2C **28**
Monks Dri. *Eye* —2G **13**
Monks Gro. *Pet* —4C **8**
Montagu Rd. *Pet* —3F **11**
Montrose Clo. *Stam* —3C **4**
Monument Ct. *Pet* —1E **3**
Monument St. *Pet*
   —2A **18** (1D **2**)
Moore's La. *Eye* —1H **13**
Moorfield Rd. *Pet* —2F **17**
Moorhen Rd. *Whit* —2E **29**
Moray Clo. *Stam* —3B **4**
Morborne Clo. *Pet* —1D **24**
Moreton's Clo. *Whit* —2E **29**
Morland Ct. *Pet* —5D **8**
Morley Way. *Pet* —2F **23**
Morpeth Clo. *Ort L* —1E **23**
Morpeth Rd. *Pet* —2E **17**
Morris St. *Pet* —3B **18** (3F **3**)
Moss Ct. *Pet* —6F **13**
Moulton Gro. *Pet* —5E **11**
Mountbatten Av. *Stam* —3E **5**
Mountbatten Av. *Yax* —4C **26**
Mountbatten Way. *Pet* —5D **10**
Mountbatten Way. *Whit*
   —3F **29**
Mt. Pleasant. *Pet* —6C **18**
Mountsteven Av. *Pet* —2E **11**
Mowbray Rd. *Pet* —2B **10**
Mulberry Clo. *Whit* —5E **29**
Mulberry Clo. *Yax* —4E **27**
Muskham. *Bret* —1B **16**
Muswell Rd. *Pet* —1G **17**
Myrtle Av. *Pet* —4B **12**
Myrtle Ct. *Pet* —4C **12**
Myrtle Gro. *Pet* —4C **12**
Myrtle Ho. Mobile Home Pk.
   Pet —6F **13**

Nab La. *Pet* —2H **11**
Nags Head Pas. *Stam* —4G **5**
  (off Ironmonger St.)
Nairn Rd. *Stam* —4C **4**
Nansicles Rd. *Ort L* —1F **23**
Napier Pl. *Ort Wi* —1G **21**

Narrow Drove. *Yax* —4G **27**
Naseby Clo. *Pet* —6E **11**
Nathan Clo. *Pet* —3C **16**
Neaverson Rd. *Glin* —2B **8**
Nelson Pl. *Pet* —1E **25**
Nene Clo. *Whit* —4D **28**
Nene Parkway. *Long & Pet*
   —4B **16**
Nene St. *Pet* —3C **18** (3G **3**)
Nene Way. *Pet* —5A **16** (6A **2**)
Newark Av. *Pet* —5B **12**
Newark Cen., The. *Pet* —1F **19**
Newark Rd. *Pet* —3E **19**
Newborn Clo. *Pet* —2E **25**
Newborough Rd. *Pet* —1C **12**
Newby Clo. *Pet* —2D **16**
Newcastle Dri. *Ort L* —1F **23**
Newcomb Ct. *Stam* —4F **5**
Newcombe Way. *Ort S*
   —4H **21**
New Cross Rd. *Stam* —4F **5**
Newgates. *Stam* —4G **5**
Newham Rd. *Stam* —2E **5**
Newhaven Est. Mobile Home
   Pk. *Whit* —2B **28**
Newlands Rd. *Whit* —1F **29**
Newmarket Clo. *Pet* —5B **12**
New Mdw. Drove. *Far* —5D **24**
New Rd. *Eye* —1H **13**
New Rd. *Ort Wa* —3A **22**
  (in two parts)
New Rd. *Pet* —3A **18** (3D **2**)
New Rd. *Whit* —4D **28**
  (in two parts)
New Rd. *Wood* —5G **17**
New Rd. *Yax* —6A **22**
New Row. *Deep J* —4E **7**
New St. *Stam* —3G **5**
Newton Ct. *Pet* —2H **11**
Nicholas Taylor Gdns. *Bret*
   —1B **16**
Nicholls Av. *Pet* —2G **17**
Nightingale Ct. *Pet* —1A **12**
Nightingale Dri. *Yax* —3B **26**
Nightingales. *Mkt D* —3D **6**
Norburn. *Bret* —3D **10**
Norfolk Sq. *Stam* —3F **5**
Norfolk St. *Pet* —1H **17**
Norham Ct. *Pet* —2G **25**
Norman Clo. *Whit* —2D **28**
Norman Rd. *Pet* —1C **18**
Normanton Rd. *Pet* —4D **12**
North Bank. *Pet*
   —4C **18** (5G **3**)
Northbank Rd. *Pet*
   —2D **18** (2H **3**)
Northey Rd. *Pet* —2H **19**
N. Fen Rd. *Glin* —1A **8**
Northfield Rd. *Mkt D* —1B **6**
Northfield Rd. *Pet* —4H **11**
Northfields Ind. Est. *Mkt D*
   —1D **6**
Northgate. *Whit* —2C **28**
Northgate Clo. *Whit* —2C **28**
Northminster. *Pet*
   —2A **18** (2D **2**)
North St. *Pet* —3A **18** (3C **2**)
North St. *Stam* —4F **5**
North St. *Stan* —5C **18**
North Ter. *Parn* —5E **13**
Northumberland Av. *Stam*
   —3E **5**
Norton Rd. *Pet* —5H **11**

Norwood La. *Pet* —1B **12**
  (in two parts)
Norwood La. Cvn. Pk. *Pet*
   —1B **12**
Nottingham Way. *Pet* —5C **12**
Nursery Clo. *Pet* —1A **18**
Nursery Gdns. *Whit* —4E **29**
Nursery La. *Fen* —3D **18**

Oakdale Av. *Pet* —2D **24**
Oakfields. *Long* —3C **16**
Oak Gro. *Mkt D* —3C **6**
Oaklands. *Pet* —1B **18**
Oakleaf Rd. *Pet* —5C **12**
Oakleigh Dri. *Ort L* —1F **23**
Oak Rd. *Glin* —1A **8**
Oak Rd. *Stam* —3B **4**
Oak Vw. *Bret* —3B **16**
Oban Clo. *Stam* —3C **4**
Occupation Rd. *Pet* —5G **11**
Odecroft. *Pet* —4E **11**
Odin Clo. *Whit* —2D **28**
Oldbrook. *Bret* —2C **10**
Old Ct. M. *Pet* —6A **12**
Old Crown La. *Whit* —3C **28**
Oldeamere Way. *Whit* —4E **29**
Olde Barn Pas. *Stam* —5F **5**
  (off Castle St.)
Oldfield Gdns. *Whit* —2C **28**
Old Gt. North Rd. *Gt Cas*
   —1A **4**
Old Gt. North Rd. *Stam* —5G **5**
Old Gt. North Rd. *Water*
   —6A **14**
Old Pond La. *Cas* —3C **14**
Olive Rd. *Pet* —4C **12**
Orchard Clo. *Deep J* —4E **7**
Orchard Clo. *Pet* —2F **17**
Orchard Clo. *Stam* —4F **5**
Orchard Rd. *Stam* —4F **5**
Orchards, The. *Ort Wa*
   —3B **22**
Orchard St. *Pet* —5H **17**
Orchard St. *Whit* —3C **28**
Orchard, The. *Mkt D* —3C **6**
Orchard, The. *Wer* —6E **9**
Orchard Wlk. *Yax* —4D **26**
Orchid Clo. *Yax* —2D **26**
Orme Rd. *Pet* —1F **17**
Orton Av. *Pet* —6G **17**
Orton Cen. *Pet* —4A **22**
Orton Enterprise Cen. *Ort S*
   —5G **21**
Orton Parkway. *Ort B* —2H **23**
Orwell Gro. *Pet* —2H **11**
Osbourne Clo. *Pet* —2H **11**
Osbourne Way. *Mkt D* —3B **6**
Osprey. *Ort G* —5B **22**
Osric Ct. *Pet* —6C **12**
Otago Clo. *Whit* —2E **29**
Otago Rd. *Whit* —2E **29**
Otterbrook. *Ort B* —2H **11**
Oundle Rd. *Alw & Ort Wa*
   —6A **20**
Oundle Rd. *Ort L* —6E **17**
Outfield. *Bret* —2C **10**
Overstone Ct. *Pet* —5E **11**
Overton Way. *Ort Wa* —3B **22**
Owl End Wlk. *Yax* —4B **26**
Owl's End. *Whit* —3D **28**
Oxburgh Clo. *Pet* —2F **25**
Oxclose. *Bret* —3C **10**

St Benedicts Clo. *Glin* —2B **8**
St Benet's Gdns. *Eye* —1H **13**
St Botolph La. *Ort L* —1E **23**
St Clement's. *Stam* —4E **5**
St Davids Sq. *Fen* —4D **18**
St George Av. *Pet* —1E **25**
St Georges Av. *Stam* —3H **5**
St George's Sq. Stam —4G 5
(off St George's St.)
St George's St. *Stam* —4G **5**
St Guthlacs Av. *Mkt D* —3B **6**
St James Av. *Pet* —4H **11**
St Johns Clo. *Pet* —3G **17**
St Johns La. *Stam* —5F **5**
St John's Rd. *Pet* —6B **18**
St Johns St. *Pet* —3B **18**
St Johns St. *Stam* —4F **5**
St John's Ter. *Stam* —4E **5**
St Jude's Clo. *Pet* —1E **17**
St Katherines M. *Hamp H*
—5E **23**
St Kyneburgha Clo. *Cas*
—3C **14**
St Leonard's St. *Pet* —3B **2**
St Leonard's St. *Stam* —4G **5**
St Margaret's Pl. *Pet* —1H **23**
St Margaret's Rd. *Pet* —1H **23**
St Mark's Ct. *Pet*
—2A **18** (1C **2**)
St Mark's St. *Pet*
—2A **18** (1C **2**)
St Martin's Clo. *Stam* —5G **5**
St Martin's Ct. *Pet* —6A **12**
St Martin's St. *Pet* —6H **11**
St Mary's Clo. *Far* —5C **24**
St Marys Clo. *Pet* —1B **18**
St Mary's Ct. *Pet*
—3B **18** (3E **3**)
St Marys Dri. *Ort Wa* —3B **22**
St Mary's Hill. *Stam* —4G **5**
St Mary's Pas. Stam —5G 5
(off St Johns La.)
St Mary's Pl. *Stam* —4G **5**
St Mary's St. *Far* —5C **24**
St Mary's St. *Stam* —4F **5**
St Mary's St. *Whit* —4C **28**
St Michael's Ga. *Pet* —4F **13**
St Michaels Wlk. *Eye* —1H **13**
St Olave's Dri. *Eye* —2H **13**
St Paul's Rd. *Pet* —5G **11**
St Paul's St. *Stam* —4G **5**
St Pega's Rd. *Pea* —1C **8**
St Peter's Arc. *Pet* —4D **2**
St Peter's Hill. *Stam* —5F **5**
St Peter's Rd. *Pet*
—3A **18** (4D **2**)
St Peter's St. *Stam* —5F **5**
St Peter's Va. *Stam* —5F **5**
St Peters Wlk. *Yax* —3D **26**
Salisbury Rd. *Pet* —6D **8**
Sallows Rd. *Pet* —5B **12**
Saltersgate. *Pet* —5E **13**
Saltmarsh. *Ort M* —3E **23**
Samsworth Clo. *Cas* —3D **14**
Sandford. *Pet* —6D **10**
Sandpiper Clo. *Whit* —2F **29**
Sandpiper Dri. *Pet* —1E **25**
Sandringham Clo. *Stam* —2F **5**
Sandringham Rd. *Pet* —3E **11**
Sandringham Way. *Mkt D*
—3B **6**
Sapperton. *Pet* —3D **8**
Sargents Ct. *Stam* —3E **5**

Saville Rd. *Pet* —6F **11**
Saville Rd. Ind. Est. *Pet*
—6F **11**
Saxby Gdns. *Pet* —3C **12**
Saxon Rd. *Pet* —2C **18** (1G **3**)
Saxon Rd. *Whit* —3A **28**
Sayer Ct. *Ort G* —5B **22**
Scaldgate. *Whit* —4D **28**
Scaldgate Rd. *Whit* —4D **28**
Scalford Dri. *Pet* —3C **12**
School Clo. *Bret* —6C **10**
School La. *Glin* —1A **8**
Scotenden. *Ort G* —4A **22**
Scotgate. *Stam* —4F **5**
Scotney St. *Pet* —4G **11**
Scott Clo. *Pet* —1E **25**
Scotts Rd. *Glin* —1B **8**
Searjeant St. *Pet* —6G **11**
Searles Ct. *Whit* —2C **28**
Seaton Clo. *Yax* —3B **26**
Sebrights Way. *Bret* —2B **16**
Second Drift. *Wot* —6F **5**
Second Drove. *Pet* —4D **18**
Second Drove Ind. Est. *Pet*
—4D **18**
Sellers Grange. *Ort G* —3D **22**
Selwyn Rd. *Stam* —2E **5**
Serlby Gdns. *Pet* —2D **16**
(in two parts)
Serpentine Shop. Cen. *Hamp H*
—5G **23**
Serpentine, The. *Hamp H*
—4F **23**
Setchfield Pl. *Pet* —6H **17**
Sevenacres. *Ort B* —3A **22**
Severn Clo. *Pet* —2G **11**
Sewell Clo. *Deep J* —3F **7**
Seymour Pl. *Pet* —2B **12**
Shackleton Clo. *Mkt D* —1C **6**
Shakespeare Av. *Pet* —4H **11**
Shamrock Clo. *Pet* —6D **18**
Sharma Leas. *Pet* —6C **8**
Shearwater. *Ort Wi* —1H **21**
Sheep Mkt. *Stam* —4F **5**
Sheepwalk. *Pet* —2A **12**
Sheldrick Wlk. *Pet* —6C **8**
Shelley Clo. *Pet* —3G **11**
Shelley Clo. *Stam* —3C **4**
Shelton Rd. *Pet* —1D **24**
Shepherds Clo. *Pet* —5E **9**
Sherborne Rd. *Pet* —5D **12**
Sheridan Rd. *Pet* —3H **11**
Sheringham Way. *Ort L*
—1E **23**
Sherwood Av. *Pet* —6H **17**
Sherwood Clo. *Stam* —4D **4**
Shire Gro. *Pet* —6C **12**
Shortacres Rd. *Pet* —6H **17**
Short Drove. *N'boro* —6G **7**
Shortfen. *Ort M* —3E **23**
Shrewsbury Av. *Pet* —6F **17**
Shrewsbury Ct. *Pet* —6F **17**
Shropshire Pl. *Pet*
—3B **18** (3F **3**)
Silver Hill. *Hamp H* —4F **23**
Silver La. Stam —4F 5
(off High St. Stamford,)
Silver St. *Pet* —6H **17**
Silverwood Rd. *Pet* —6H **11**
Silverwood Wlk. *Yax* —4E **27**
Silvester Rd. *Cas* —3C **14**
Singerfire Rd. *Ail* —3B **14**
Sissley. *Ort G* —5A **22**

Skater's Way. *Pet* —5E **9**
Smallwood. *Pet* —5D **10**
Snoots Rd. *Whit* —3A **28**
Snowhills. *Yax* —4C **26**
Snowley Pk. *Whit* —2A **28**
Soke Parkway. *Pet* —3B **16**
Somerby Clo. *Stam* —2F **5**
Somerby Gth. *Pet* —4D **12**
Somerville. *Pet* —4C **8**
Somerville Rd. *Stam* —3E **5**
Sorrel Clo. *Stam* —3A **4**
Southdown Rd. *Yax* —4D **26**
Southfields Av. *Pet* —1D **24**
Southfields Dri. *Pet* —2D **24**
Southgate Pk. *Ort S* —5G **21**
Southgate Way. *Ort S* —6G **21**
Southlands Av. *Pet* —5A **12**
Southoe Rd. *Far* —5D **24**
South Pde. *Pet* —2G **17**
South St. *Pet* —3B **18** (3E **3**)
South St. *Stan* —6C **18**
South Vw. *Pet* —6H **17**
Southview Rd. *Pet* —3F **11**
Southwell Av. *Pet* —5C **8**
Southwick Clo. *Pet* —2H **11**
Sovereign Pl. *Pet* —3G **17**
Spalding Rd. *Deep J* —3F **7**
Speechley Rd. *Yax* —3D **26**
Speedwell Clo. *Deep J* —2E **7**
Spencer Av. *Pet* —2D **24**
Speyside Ct. *Ort S* —3H **21**
Spinney, The. *Mkt D* —3C **6**
Spinney Wlk. *Pet* —3C **16**
Spital Bri. *Pet* —2G **17**
Splash La. *Cas* —5C **14**
Spignall. *Bret* —1B **16**
Spring Dri. *Far* —5B **24**
Springfield. *Pet* —6A **18**
Springfield Rd. *Pet* —6H **11**
Springfield Rd. *Yax* —4D **26**
Springfields. *Whit* —3H **29**
Springwater Bus. Pk. *Whit*
—5E **29**
Square, The. *Pet* —2E **19**
Squiresgate. *Pet* —6H **9**
Stackyard, The. *Ort Wa*
—2A **22**
Stafford Rd. *Whit* —4E **29**
Stagsden. *Ort G* —3B **22**
Stagshaw Dri. *Pet* —5B **18**
Stallebrass Clo. *Pet* —2E **25**
Stamford Bus. Pk. *Stam*
—2H **5**
Stamford Clo. *Mkt D* —4C **6**
Stamford Lodge Dri. *Milt*
—1H **15**
Stamford Rd. *Mkt D* —4A **6**
Stamper St. *Bret* —2B **16**
Stanford Wlk. *Pet* —1E **17**
Staniland Way. *Pet* —5D **8**
Stanley Rd. *Pet* —2A **18** (2D **2**)
Stanley St. *Stam* —4G **5**
Stan Rowing Ct. *Stan* —6C **18**
Stanton Sq. *Hamp H* —5F **23**
Stanwick Ct. *Pet* —3H **17**
Stapledon. *Ort S* —5H **21**
Stapledon Rd. *Ort S* —5H **21**
Star Clo. *Pet* —2C **18** (2G **3**)
Star La. *Stam* —4G **5**
Star M. *Pet* —3C **18** (3G **3**)
Star Rd. *Pet* —3C **18** (4G **3**)
Stathern Rd. *Pet* —4D **12**
Station La. *Ort Wi* —6A **16**

Station Rd. *Ail* —5A **14**
Station Rd. *Pet* —3H **17** (3A **2**)
Station Rd. *Stam* —5G **5**
(Barnack Rd.)
Station Rd. *Stam* —5F **5**
(Wothorpe Rd.)
Station Rd. *Whit* —3D **28**
Station Yd. *Stam* —5F **5**
Staverton Rd. *Pet* —5C **8**
Stephenson Ct. *Pet*
—3B **18** (4E **3**)
Stephens Way. *Deep J* —5G **7**
Steve Woolley Ct. *Ort M*
—3D **12**
Steynings, The. *Pet* —6E **9**
Still Clo. *Mkt D* —3C **6**
Stimpson Wlk. *Pet* —5D **8**
Stirling Rd. *Stam* —3D **4**
Stirling Way. *Bret* —2C **10**
Stirling Way. *Mkt D* —1C **6**
Stocks Hill. *Cas* —4D **14**
Stokesay Ct. *Pet* —5D **16**
Stonald Av. *Whit* —2B **28**
Stonald Rd. *Whit* —2A **28**
(in two parts)
Stonebridge. *Ort M* —2E **23**
Stonebridge Lea. *Ort M*
—2E **23**
Stonehouse Rd. *Yax* —4C **26**
Stone La. *Pet* —6H **11**
Stoneleigh Ct. *Pet* —3D **16**
Storers Wlk. *Whit* —4H **29**
Storey's Bar Rd. *Pet* —2F **19**
Storrington Way. *Pet* —6E **9**
Stowehill Rd. *Pet* —2H **11**
Stowgate Rd. *Deep J* —5H **7**
Straight Drove. *Far* —6D **24**
Stuart Clo. *Pet* —1C **24**
Stuart Ct. *Pet* —1B **18**
Stuart Ho. *Pet* —3E **3**
Stukeley Clo. *Pet* —2D **24**
Stumpacre. *Bret* —3C **10**
Sturrock Way. *Bret* —3E **11**
Sudbury Ct. *Pet* —2F **25**
Sudbury Ct. *Whit* —2C **28**
Suffolk Clo. *Pet* —3D **16**
Summerfield Rd. *Pet* —1H **17**
Sunningdale. *Ort Wa* —1A **22**
Sunnymead. *Pet* —3C **8**
Surrey Ri. *Whit* —2E **29**
Sussex Rd. *Stam* —3F **5**
Sutherland Way. *Stam* —4D **4**
Sutton Ct. *Pet* —5E **9**
Suttons La. *Deep G* —5D **6**
Svenskaby. *Ort Wi* —1G **21**
Swain Ct. *Pet* —5H **17**
Swale Av. *Pet* —2G **11**
Swallow Clo. *Whit* —1F **29**
Swallowfield. *Pet* —5D **8**
Swallow Wlk. *Deep J* —3E **7**
Swan Clo. *Whit* —2E **29**
Swan Rd. *Whit* —2E **29**
Swanson Ho. *Stam* —3H **5**
Swanspool. *Pet* —5D **10**
Sweetbriar. *Stam* —2A **4**
Sweetbriar La. *Pet* —3D **8**
Sweet Clo. *Deep J* —3E **7**
Swift Clo. *Deep J* —4E **7**
Swine's Mdw. Rd. *Mkt D*
—1E **7**
Sycamore Av. *Pet* —4B **12**
Sycamore Rd. *Whit* —4E **29**
Sydney Rd. *Pet* —2D **24**

Syers La. *Whit* —3C **28**
Symmington Clo. *Pet* —5H **17**

Tait Clo. *Pet* —6C **12**
Talbot Av. *Ort L* —1F **23**
Tanglewood. *Pet* —2D **8**
Tanhouse. *Ort M* —2E **23**
Tansor Gth. *Pet* —6E **11**
Tantallon Ct. *Pet* —4D **16**
Tarrant. *Pet* —3C **8**
Tasmans Cvn. Site. *Eye*
—2G **13**
Tattershall Dri. *Mkt D* —2B **6**
Taverners Rd. *Pet* —1H **17**
Teal Rd. *Whit* —2E **29**
Teanby Ct. *Bret* —2B **16**
Teasles. *Deep J* —2E **7**
Temple Grange. *Pet* —3D **8**
Tennyson Rd. *Pet* —3H **11**
Tennyson Way. *Stam* —3C **4**
Tenter La. *Stam* —4G **5**
Thackers Way. *Mkt D* —3D **6**
Third Drove. *Fen* —3E **19**
Thirlmere Gdns. *Pet* —6G **9**
Thistle Dri. *Pet* —6C **18**
Thistlemoor Rd. *Pet* —4G **11**
Thomas Clo. *Bret* —2B **16**
Thompsons Ground. *Hamp H*
—4F **23**
Thornemead. *Pet* —5F **9**
Thorney Rd. *Eye* —1H **13**
Thornham Way. *Whit* —4H **29**
Thornleigh Dri. *Ort L* —1E **23**
Thornton Clo. *Pet* —6G **9**
Thorolds Way. *Cas* —3B **14**
Thoroughfare La. *Whit*
—3C **28**
Thorpe Av. *Pet* —3E **17**
Thorpe Lea Rd. *Pet* —3G **17**
Thorpe Meadows. *Pet* —3F **17**
Thorpe Pk. Rd. *Pet* —3E **17**
Thorpe Rd. *Pet* —4B **16** (4A **2**)
(in two parts)
Thorpe Wood Rd. *Pet* —4B **16**
Thorseby Clo. *Pet* —2C **16**
Threave Ct. *Pet* —5C **16**
Throstle Nest. *Far* —4C **24**
Thurlaston Clo. *Pet* —3D **16**
Thurning Av. *Pet* —1C **24**
Thuro Gro. *Ort G* —4C **22**
Thursfield. *Pet* —5E **7**
Thurston Ga. *Pet* —4C **16**
Thyme Av. *Mkt D* —3D **6**
Tilton Ct. *Pet* —3C **12**
Tintagel Ct. *Pet* —4D **16**
Tintern Rise. *Eye* —1G **13**
Tinwell Rd. *Stam* —6B **4**
Tinwell Rd. La. *Stam* —5D **4**
Tirrington. *Bret* —2C **16**
Tiverton Rd. *Pet* —2E **17**
Tobias Gro. *Gt Cas* —2A **4**
Toftland. *Ort M* —2E **23**
Tolethorpe Sq. *Stam* —3F **5**
Tollbar. *Gt Cas* —1A **4**
Tollgate. *Bret* —6C **10**
Toll Ho. Rd. *Ort L* —6E **17**
Toll Rd. *Far* —2G **25**
Topmoor Way. *Pet* —2H **11**
Torkington Gdns. *Stam* —4F **5**
Torkington St. *Stam* —4D **4**
Touthill Clo. *Pet*
—3A **18** (3D **2**)

Tower Clo. *Whit* —2A **28**
Tower Ct. *Pet* —5H **17**
Tower Mead Bus. Cen. *Pet*
—1A **24**
Tower St. *Pet* —5H **17**
Towler St. *Pet* —2A **18** (1C **2**)
Towngate E. *Mkt D* —2B **6**
Towngate W. *Mkt D* —2A **6**
Towning Clo. *Deep J* —3E **7**
Tresham Rd. *Ort S* —4H **21**
Trienna. *Ort L* —2D **22**
Trinity Ct. *Pet* —4A **18** (5C **2**)
Trinity Rd. *Stam* —3E **5**
Trinity St. *Pet* —4H **17** (5B **2**)
(in two parts)
Troon Clo. *Stam* —3C **4**
Troutbeck Clo. *Pet* —6H **9**
Tuckers Ct. *Pet* —6C **18**
Tuckers Yd. *Pet* —1C **24**
Tudor Clo. *Pet* —1G **11**
Turners La. *Whit* —4C **28**
Turningtree Rd. *Whit* —6F **29**
Turnpole Clo. *Stam* —2H **5**
Turnstone Way. *Stan* —6D **18**
Twelvetrees Av. *Pet* —4C **8**
Twitten, The. *Far* —5C **24**
Two Pole Drove. *Far* —5F **25**
Twyford Gdns. *Pet* —4D **12**
Tyesdale. *Bret* —1C **16**
Tyghes Clo. *Deep J* —3G **7**
Tyler's M. *Wer* —6D **8**
Tyrrell Pk. *Pet* —3D **18**

Uffington Rd. *Stam* —4H **5**
Uldale Way. *Pet* —1H **11**
Ullswater Av. *Pet* —1F **11**
Underwood Clo. *Whit* —3H **29**
Uplands. *Pet* —4E **9**
Upton Clo. *Long* —3C **16**
Upton Clo. *Stan* —2E **25**

Valence Rd. *Ort Wa* —3B **22**
Vence Clo. *Stam* —4E **5**
Vere Rd. *Pet* —4H **11**
Vergette Rd. *Glin* —1B **8**
Vergette St. *Pet*
—1B **18** (1F **3**)
Vermont Gro. *Pet*
—4G **17** (5A **2**)
Vetchfield. *Ort B* —2A **22**
Vicarage Farm Rd. *Pet* —2E **19**
Vicarage Gdns. *Far* —5C **24**
Vicarage Way. *Yax* —5B **26**
Victoria Pl. *Pet* —1H **17** (1B **2**)
Victoria Rd. *Stam* —3F **5**
Victoria St. *Old F* —1H **23**
Victoria St. *Pet* —6A **12**
Victory Av. *Whit* —2E **29**
Viersen Platz. *Pet*
—4A **18** (5C **2**)
Vigar Ho. *Pet* —3E **3**
Viking Ct. *Pet* —6D **18**
Viking Way. *Whit* —2D **28**
Village Farm Clo. *Cas* —3C **14**
Village, The. *Ort L* —1D **22**
Vine St. *Stam* —4G **5**
Vine Wlk. *Pet* —1E **17**
Vineyard Rd. *Pet* —3B **18**
Viney Clo. *Pet* —6D **12**
Vintners Clo. *Pet* —2F **17**
Violet Way. *Yax* —2D **26**

Virginia Clo. *Pet* —3C **16**
Viscount Rd. *Pet* —1A **24**
Vixen Clo. *Yax* —3D **26**
VP Square. *Pet* —2F **19**

Wade Pk. Av. *Mkt D* —4D **6**
Wainman Rd. *Pet* —2F **23**
Wainwright. *Pet* —5C **8**
Wakelyn Rd. *Whit* —3B **28**
Wakerley Dri. *Pet* —6E **17**
Wake Rd. *Pet* —3B **18** (3F **3**)
Walcot Wlk. *Pet* —2C **16**
Walcot Way. *Stam* —3C **4**
Walgrave. *Ort M* —4D **22**
Walker Rd. *Glin* —2B **8**
Walkers Way. *Bret* —2B **16**
Walpole Ct. *Pet* —1A **2**
Walsingham Way. *Eye* —1G **13**
Waltham Clo. *Pet* —3D **12**
Waltham Wlk. *Eye* —1H **13**
Walton Pk. *Pet* —2E **11**
Walton Rd. *Mar* —2A **10**
Warbon Av. *Pet* —4H **11**
Ward Clo. *Pet* —2B **18** (1F **3**)
Wareley Rd. *Pet* —4H **17**
Warwick Rd. *Pet* —1E **11**
Wasdale Gdns. *Pet* —1A **12**
Wash La. *Whit* —2D **28**
Water End. *Alw* —2E **21**
Water End. *Mar* —2A **10**
Water End. *Thor M* —3F **17**
Water Furlong. *Stam* —5E **5**
Watergall. *Bret* —3C **10**
Water La. *Cas* —4D **14**
Water La. *Pet* —1B **22**
Waterloo Rd. *Pet* —6A **12**
Waterslade Rd. *Yax* —5A **26**
Water St. *Stam* —5G **5**
Waterton Clo. *Deep J* —4F **7**
Waterville Gdns. *Ort Wa*
—2B **22**
Waterworks La. *Glin* —3A **8**
Watt Clo. *Pet* —1G **11**
Waveney Gro. *Pet* —1G **11**
Waverley Gdns. *Stam* —3D **4**
Waverley Pl. *Stam* —3D **4**
Wayford Clo. *Pet* —3C **16**
Weatherthorn. *Ort M* —2E **23**
Websters Clo. *Glin* —1B **8**
Wedgwood Way. *Pet* —2D **10**
Weedon Clo. *Pet* —2H **11**
Welbeck Way. *Pet* —1F **23**
Welbourne. *Pet* —5E **9**
Welbourne Lea. *Pet* —5E **9**
Welland Clo. *Pet* —3A **12**
Welland Ho. *Pet* —2B **18** (2F **3**)
Welland M. *Stam* —5G **5**
Welland Rd. *Pet* —4A **12**
Welland Vw. *Tin* —6B **4**
Welland Way. *Deep J* —4F **7**
Wellington La. Stam —4F **5**
(off High St. Stamford,)
Wellington St. *Pet*
—3B **18** (3E **3**)
Wellington Way. *Mkt D* —1C **6**
Wells Clo. *Pet* —6D **8**
Wells Ct. *Stan* —2D **24**
Welmore Rd. *Glin* —1B **8**
Wentworth St. *Pet*
—4A **18** (5C **2**)
Werrington Bri. Rd. *Milk N*
—4F **9**

Werrington Bus. Cen. *Wer*
—6B **8**
Werrington Cen. *Wer* —4E **9**
Werrington Gro. *Pet* —1D **10**
Werrington Ind. S. *Wer*
—1C **10**
Werrington Industry N. *Wer*
—5B **8**
Werrington Pk. Av. *Pet* —6E **9**
Werrington Parkway. *Pet*
—5C **8**
Wesleyan Rd. *Pet* —4A **12**
Wessex Clo. *Pet* —6D **18**
Westbourne Dri. *Glin* —1A **8**
Westbrook Av. *Pet* —6H **17**
Westbrook Pk. Clo. *Pet*
—6H **17**
Westbrook Pk. Rd. *Pet* —6H **17**
Westcombe Sq. *Alw* —3E **21**
Westcombe Sq. *Pet* —1D **18**
West Delph. *Whit* —1C **28**
West End. *Whit* —3B **28**
West End. *Yax* —5B **26**
W. End Vs. *Stam* —4E **5**
Westerley Clo. *Pet* —1E **17**
Western Av. *Pet* —4A **12**
Westfield Clo. *Yax* —4B **26**
Westfield Rd. *Pet* —1F **17**
Westfield Rd. *Yax* —5B **26**
Westgate. *Pet* —3H **17** (3B **2**)
Westgate Arc. *Pet*
—3A **18** (4C **2**)
Westhawe. *Bret* —4B **10**
Westminster Gdns. *Eye*
—2G **13**
Westminster Pl. *Pet* —6F **13**
Westmoreland Gdns. *Pet*
—3B **18** (4E **3**)
West Pde. *Pet* —4A **12**
W. Stonebridge. *Ort M* —2E **23**
West St. *Stam* —5E **5**
West St. Bus. Pk. *Stam* —4E **5**
West St. Gdns. *Stam* —4E **5**
Westwood Pk. Clo. *Pet* —2E **17**
Westwood Pk. Rd. *Pet* —2F **17**
Wetherby Way. *Pet*
—2C **18** (1H **3**)
Weymouth Way. *Pet* —5D **12**
Whalley St. *Pet* —2B **18** (1F **3**)
Wharf Rd. *Pet* —5G **17** (6A **2**)
Wharf Rd. *Stam* —5G **5**
Wheatdole. *Ort G* —4C **22**
Wheel Yd. *Pet* —3A **18** (4D **2**)
Whetstone Ct. *Pet* —4E **13**
Whiston Clo. *Pet* —1H **11**
Whitacre. *Pet* —5E **13**
Whiteacres Rd. *Whit* —2D **28**
White Cross. *Pet* —5D **10**
Whitewater. *Ort Wi* —1H **21**
Whitley Way. *Mkt D* —1C **6**
Whitmore St. *Whit* —3C **28**
Whitsed St. *Pet* —2B **18** (1F **3**)
Whittington. *Pet* —4F **13**
Whittlesey Rd. *Pet & Stan*
—6B **18**
Whitwell. *Pet* —2A **12**
Wicken Way. *Pet* —5E **11**
Wigmore Dri. *Pet* —2F **25**
Wilberforce Rd. *Pet* —4H **11**
Wildlake. *Ort M* —2E **23**
Willesden Av. *Pet* —3F **11**
Williamson Av. *Pet* —2G **11**
Willonholt. *Pet* —5E **11**

Willoughby Av. *Mkt D* —2D **6**
Willoughby Ct. *Pet* —4E **13**
Willoughby Rd. *Stam* —2G **5**
Willow Av, *Pet* —4B **12**
Willow Clo. *Whit* —3B **28**
Willow Hall La. *Thor* —2H **19**
Willow Holt. *Hamp H* —4E **23**
Willow Rd. *Stam* —2B **4**
Willow Rd. *Yax* —3E **27**
Willow Rd. Ind. Est. *Yax*
     —3E **27**
Willows, The. *Glin* —1B **8**
Wilton Clo. *Pet* —1E **17**
Wilton Dri. *Pet* —1E **17**
Wimborne Dri. *Pet* —4E **13**
Winchester Way. *Pet* —4G **17**
Windermere Way. *Pet* —6G **9**
Windmill St. *Pet* —6H **11**
Windmill St. *Whit* —2C **28**
Windrush Dri. *Pet* —2H **11**
Windsor Av. *Pet* —3E **11**
Windsor Clo. *Stam* —2F **5**

Windsor Dri. *Pet* —1D **24**
Windsor Pl. *Whit* —4F **29**
Windsor Rd. *Yax* —3D **26**
Wingfield. *Ort G* —5B **22**
Winslow Rd. *Pet* —2E **17**
Winston Way. *Far* —5C **24**
Winwick Pl. *Pet* —6E **11**
Winyates. *Ort G* —4B **22**
Wisteria Rd. *Yax* —5B **26**
Wisteria Way. *Pet* —6F **9**
Wistow Way. *Ort Wi* —1G **21**
Witham Clo. *Stam* —3G **5**
Witham Way. *Pet* —2H **11**
Woad Ct. *Eye* —1H **13**
Woburn Clo. *Mkt D* —3B **6**
Woburn Clo. *Pet* —4C **16**
Wollaston Rd. *Pet* —5E **11**
Woodbine M. *Pet*
     —2B **18** (1F **3**)
Woodbine St. *Pet* —6A **18**
Woodbyth Rd. *Pet* —5A **12**
Woodcote Clo. *Pet* —4A **12**

Woodcroft Clo. *Mkt D* —3B **6**
Woodcroft Rd. *Mar* —1A **10**
Woodfield Rd. *Pet* —2F **17**
Woodhall Ri. *Pet* —3D **8**
Woodhead Clo. *Stam* —2H **5**
Woodhurst Rd. *Pet* —1D **24**
Woodlands, The. *Mkt D* —3C **6**
Woodlands, The. *Pet* —6D **12**
Woodpecker Ct. *Pet* —1A **12**
Woodston Ga. *Ort L* —1F **23**
Woodston Ind. Area. *Ort L*
     —1G **23**
Woolfehill Rd. *Eye* —1F **13**
Woolgard. *Bret* —3C **16**
Woolpack La. *Whit* —4C **28**
Wootton Av. *Pet* —1H **23**
Worcester Cres. *Stam* —3F **5**
Wordsworth Clo. *Pet* —3G **11**
Worsley. *Ort G* —3C **22**
Wothorpe M. *Stam* —5F **5**
Wothorpe Rd. *Stam* —5F **5**
Wren Clo. *Mkt D* —3D **6**

Wright Av. *Pet* —2E **25**
Wulfric Sq. *Bret* —3E **11**
Wycliffe Gro. *Pet* —3C **8**
Wye Pl. *Pet* —2G **11**
Wykes Rd. *Yax* —5B **26**
Wykes, The. *Yax* —6A **26**
Wykes Way. *Yax* —6A **26**
Wyman Way. *Pet* —2B **22**
Wyndham Pk. *Ort Wi* —1H **21**
Wype Rd. *Whit* —3H **29**

Yarwell Clo. *Ort L* —1F **23**
Yarwells Headlands. *Whit*
     —1B **28**
Yarwells Wlk. *Whit* —2C **28**
Yew Tree Wlk. *Pet* —3C **16**
York Rd. *Pet* —5H **11**
York Rd. *Stam* —3F **5**